VORSPEISEN

© Naumann & Göbel Verlagsgesellschaft mbH in der
VEMAG Verlags- und Medien Aktiengesellschaft, Köln
Coverfoto: Stockfood
Gesamtherstellung: Naumann & Göbel Verlagsgesellschaft mbH
ISBN 3-625-11240-X

Basiswissen & Profitipps

VORSPEISEN

NAUMANN & GÖBEL

Inhalt

Inhalt

Vorspeisen aus aller Welt

Antipasti, Hors d'œuvres, Tapas, Mezeler oder Mézedes, die Begriffe für Vorspeisen differieren je nach Land, aber sie alle haben eines gemeinsam: Sie wecken Vorfreude und Appetit auf die nachfolgenden Gänge und stimmen uns ein auf lukullische Gaumenfreuden, von deren Genuss sie bereits im Kleinen künden.

In Italien reicht man zum Auftakt gern Parmaschinken, Coppa, Salami, in Kräuter und Öl eingelegtes Gemüse oder Mozzarella, den traditionellen Büffelkäse, mit Tomaten und Basilikum, aber auch knusprige Delikatessen wie Bruschetta oder Crostini haben auf der Karte ihren festen Platz.

An der französischen Küste bietet man von Schnecken über Jakobsmuscheln und Austern reichlich Meeresfrüchte, im Inland kommen herzhafte Patés und edle Terrinen zu ihrem Recht.

In Spanien gehören Tapas zum geselligen Leben, die kleinen Häppchen, die man traditionell zu einem Gläschen Sherry oder Wein zu sich nimmt. Hier spielen Serrano-Schinken und Chorizo, die feurig-scharfe Paprikawurst, eine große Rolle, doch auch Muscheln und Scampi sowie eingelegte Oliven wecken Appetit auf mehr.

Die Türkei lockt ebenso wie Griechenland mit üppigen Vorspeisenplatten, die oft aus bis zu 10 verschiedenen Häppchen bestehen. Tsatsiki, Auberginenpüree, frittierte Tintenfische, Tarama, gefüllte Weinblätter und vieles mehr gilt es hier zu entdecken und zu genießen.

Von Schnecken in Kräuterbutter über marinierte Riesengarnelen bis zu gefüllten Zucchiniblüten reicht die Palette der farbenfrohen und aromatischen Häppchen, die wir für Sie zusammengestellt haben, und eine kleine Reise um die Welt möchten wir mit unserer Auswahl auch antreten. Warum statt der klassischen Häppchen aus den Urlaubsländern rund ums Mittelmeer nicht einmal asiatisches Fingerfood reichen? Ihre Gäste werden garantiert begeistert sein von Leckerbissen wie Tofu-Beignets, Krabbenschnitten oder Hackbällchen im Nudelnetz.

Es muss nicht immer ein Menü sein

Die großen Küchen kennen eine Fülle von Vorspeisen und Snacks, die nicht um jeden Preis ein Menü nach sich ziehen müssen. Je nach Anlass, Lust und Laune können aus den appetitlichen Häppchen im Handumdrehen kleine Mahlzeiten werden, oder Sie stellen eine bunte Auswahl zu einem tollen Büfett zusammen.

An lauen Sommerabenden empfehlen wir ein mediterranes Vorspeisenbankett, das farbenfrohe Frische mit temperamentvollem Auftritt verbindet. Sie werden sehen, Ihre Gäste beginnen von griechischen Tavernen, spanischen Tapas-Bars oder italienischen Trattorien zu schwärmen …

Garnieren

Vorspeisen und Snacks schmecken noch einmal so gut, wenn sie hübsch garniert sind, denn das Auge isst mit, während sich Mund und Magen laben. Für unsere pfiffigen Garnituren benötigen Sie nicht viel: kleine und große Küchenmesser mit gerader und mit Sägeklinge, verschiedene Ausstechförmchen, ein wenig Geschick und eine Prise Fantasie. Wenn sich all das mit der Freude am Kochen und Genießen verbindet, kann eigentlich nichts mehr schief gehen. Wir wünschen viel Spaß beim Nacharbeiten unserer Dekorationen!

Erdbeerblume

Erdbeeren waschen, trocknen und in gleichmäßige, nicht zu dünne Scheiben schneiden. Anschließend mit Zitronensaft beträufeln. Weintrauben halbieren, mit Puderzucker bestäuben und auf die Erdbeerscheibe setzen.

Zitronenrosette

Unbehandelte Zitronen waschen und in Scheiben schneiden. Anschließend die Schale gleichmäßig einkerben. Bunte Paprikaschoten halbieren, das Kerngehäuse entfernen und danach in Streifen schneiden. Das Ganze als Rosette auf die Zitrone legen. Gelbe Paprika rund ausstechen oder ausschneiden und als Blüte in die Mitte legen.

Kiwi-, Limonen- und Zitronenscheiben

Diese Fruchtscheiben lassen sich mit Mangoschiffchen oder Melonenherzen, Apfelscheiben und Kräutern verzieren.

Zuckerrosen

Eine voll erblühte Rose kurz abbrausen, anschließend trockenschütteln und vorsichtig die einzelnen Blütenblätter abzupfen. Jeweils ein Rosenblatt von beiden Seiten mit etwas Eiweiß bestreichen, mit Puderzucker bestäuben und im Backofen bei milder Hitze trocknen lassen. Das Blatt mit Weintrauben, frischer Zitronenmelisse und einigen Melonenstiften verzieren.

Gurkenfächer

Salatgurke waschen, in Stücke schneiden und in Längsrichtung halbieren. Diese Teile schräg in feine Streifen schneiden, ohne sie ganz durchzutrennen. Gurkenscheiben teilweise umbiegen und mit rotem Gemüse (z. B. Paprika-, Tomaten- oder Peperonistücken) füllen.

Apfelschiffchen

Feste rotschalige Äpfel waschen, in Spalten schneiden und mit Zitronensaft beträufeln. Jede Spalte sechsmal schräg mit einem scharfen Messer einschneiden, ohne ganz durchzuschneiden. Die Schiffchen vorsichtig etwas auseinander ziehen.

Zwiebelspitzen

Rote Zwiebeln vierteln und die einzelnen Schichten trennen. Gemüsezwiebel in Scheiben schneiden. Spitzen fächerförmig auf den Zwiebelscheiben anrichten und mit Kirschtomaten und Petersilie garnieren.

Radieschen-Maus

Radieschen waschen, trockentupfen und das Grün bis auf einen kleinen Rest entfernen. Das Grün anschließend als „Nase" benutzen. Eine Scheibe abschneiden, damit das Mäuschen einen guten Stand hat. Außerdem die Oberseite zwei Mal einstechen, die Scheibe halbieren und als „Ohren" in die Einschnitte stecken.

Bunte Zwiebelringe

Zwiebel in Scheiben schneiden, die einzelnen Ringe trennen und in gehackten Kräutern und bunten Gewürzpulvern (Paprika, Curry, Senf) wälzen. Das Ganze vorsichtig andrücken.

Tomatenblüte

Kirschtomate mit einem scharfen Messer mehrmals einschneiden, aber nicht ganz durchschneiden. Anschließend die Teile vorsichtig auseinander ziehen und auf eine Gurkenscheibe setzen.

Tomatenrosette

Zuerst von der Tomate einen Deckel abschneiden. Dann die Schale nicht zu dünn spiralförmig abschälen. Darauf achten, dass die Schale nicht einreißt. Danach wird sie locker aufgerollt, auf eine Gurkenscheibe gesetzt und wie eine Rosenblüte auseinander gezogen.

Klassiker
& beliebte Snacks

Tomaten-Sorbet

Für 4 Portionen:

Für das Sorbet:

425 g Tomaten aus der Dose

1 Tl Zitronenschale

2 El Hot Salsa

Zucker

Salz

1 Prise Cayennepfeffer

1 Prise Korianderpulver

1 Bund Basilikum

4 El Schmand

100 g Flusskrebsfleisch

Zubereitungszeit:
ca. 20 Minuten
(plus Zeit zum Gefrieren)
Pro Portion: ca. 84 kcal/355 kJ

Die Tomaten mit wenig Saft mit dem Schneidstab des Handrührgerätes pürieren.

Die Zitronenschale und die Hot Salsa unterrühren und mit Zucker, Salz, Cayennepfeffer und Korianderpulver abschmecken. Das Basilikum waschen, trocknen, in Streifen schneiden und mit dem Schmand unter das Püree heben.

Alles in einer Schüssel 2–3 Stunden gefrieren lassen. Hin und wieder umrühren. Das halb steife Sorbet in Gläser füllen und das Flusskrebsfleisch darauf verteilen. Mit Kräutern garnieren.

Dazu schmecken Gemüsehäppchen

... mit Kiwi

Salatgurkenscheibe salzen und mit Kiwi und Staudensellerie belegen. Mit Remoulade bestreichen und mit Tomate garnieren. Das Ganze mit einem Spieß feststecken.

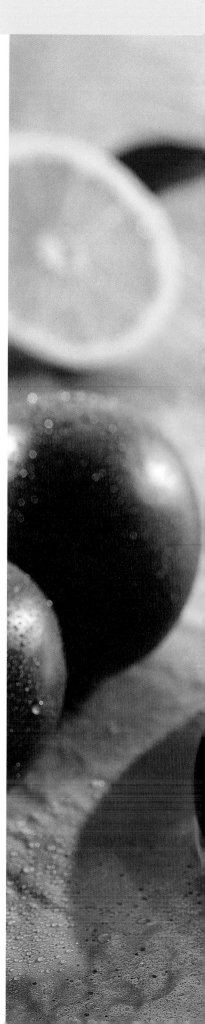

Für 4 Portionen:

250 g Weizenvollkornmehl
1/2–1 Tl Kräutersalz
2 Tl Backpulver
100 g Butter
Mehl zum Bearbeiten
400 g Austernpilze
2 gelbe Paprikaschoten
4 rote Zwiebeln
400 g Mais aus dem Glas
4 El Olivenöl
Pfeffer
Knoblauchpulver
gerebelter Oregano
250 g Mozzarella
Butter zum Einfetten

Zubereitungszeit:
ca. 40 Minuten
(plus Kühlzeit)
Pro Portion: ca. 833 kcal/3499 kJ

Kleine Gemüsepizzen

Das Mehl mit dem Salz und dem Backpulver mischen. Die Butter flöckchenweise dazugeben und mit dem Mehl verkneten. 125 ml Wasser dazugeben und alles zu einem Teig verkneten. Ca. 20 Minuten kühl stellen.

Die Pilze putzen und in Streifen schneiden. Die Paprikaschoten waschen, halbieren, entkernen und in Streifen schneiden.

Die Zwiebeln schälen und in feine Würfel schneiden. Die Maiskörner auf ein Sieb geben und gut abtropfen lassen.

Das Öl erhitzen und das Gemüse darin unter Rühren ca. 4 Minuten anbraten. Mit Pfeffer, Knoblauchpulver und Oregano würzen, herausnehmen und das Gemüse gut abtropfen lassen.

Den Backofen auf 180–200 °C vorheizen. Den Teig auf einer bemehlten Arbeitsfläche dünn ausrollen und mittelgroße Kreise ausstechen. Die Gemüsemischung auf den Pizzen verteilen. Den Mozzarella in Streifen schneiden und darüber legen.

Die Gemüsepizzen auf ein eingefettetes Backblech legen und auf der mittleren Einschubleiste ca. 20 Minuten backen.

Melone mit Schinken

Die Melone halbieren und die Kerne mit einem Löffel entfernen. Das Fruchtfleisch in ca. 12 Scheiben à 2–3 cm Dicke schneiden und nach Bedarf schälen. Die Melonenscheiben fächerförmig auf vier Teller verteilen.

Den Schinken zu Röllchen formen und neben den Melonenscheiben auf den Tellern arrangieren. Mit frisch gemahlenem Pfeffer bestreuen und servieren.

Für 4 Portionen:

1 Cantaloupe- oder Honigmelone

8–12 Scheiben roher Schinken nach Wahl (Rindernuss-, Parma- oder Seranoschinken)

frisch gemahlener Pfeffer

Zubereitungszeit:
ca. 15 Minuten
Pro Portion: ca. 76 kcal/319 kJ

Variation

… mit grünem Spargel

Kochschinkenscheiben mit Mayonnaise bestreichen und gekochten, grünen Spargel darauf verteilen. Mit blanchierten Zucchinistreifen zusammenrollen.

… mit Pfirsich

Breite Schinkenstreifen und Pfirsichhälften in Kalbsfond mit Weißwein kurz erwärmen. Obst mit Schinken belegen, mit Tomatenrosette garnieren und warm servieren.

Gefüllte Eier

… mit Kräutermayonnaise

Das Ei je nach Größe in 8 bis 9 Minuten hart kochen. Danach kalt abschrecken. Das ist sehr wichtig, weil sich das Ei durch den plötzlichen Temperaturunterschied unter der Schale zusammenzieht und sich so leichter pellen lässt. Das Ei der Länge nach halbieren und das Eigelb herauslösen, ohne die Eiweißhälfte zu verletzen. Das Eigelb durch ein Sieb streichen und mit Mayonnaise, Zitronensaft und Kräutern verrühren. Die Creme mit einem Spritzbeutel in die Eihälfte spritzen und mit Kräutern garnieren.

… mit Möhren

Ei pellen und quer halbieren. Mit Zitronensaft beträufeln. Lange, schmale Möhrenstreifen in Fleischbrühe blanchieren. Anschließend mit etwas Selleriegrün zusammenrollen. Auf die Eihälfte legen. Mit Kräutern garnieren.

… mit Staudensellerie

Das Ei pellen und der Länge nach halbieren. Das Eigelb herauslösen, ohne dabei das Eiweiß zu verletzen. Das Eigelb mit Staudensellerie, einem Schuss Zitronensaft und Sahne pürieren und mit Salz und Pfeffer abschmecken. Anschließend Creme in die Eihälfte spritzen und mit Sellerie und Pfefferkörnern garnieren.

… mit Pinienkernen

Das Ei pellen und der Länge nach halbieren. Das Eigelb herauslösen, ohne die Eiweißhälfte dabei zu verletzen. Das Eigelb durch ein Sieb streichen und mit Mayonnaise, Paprikapulver und Zitronensaft verrühren. Mit Salz und Pfeffer würzen. Die Creme in die Eihälfte spritzen und das Ganze mit Pinienkernen und Paprikapulver garnieren.

… mit Rindersaftschinken

Das Ei pellen und anschließend der Breite nach halbieren. Die Eihälfte mit etwas Zitronensaft beträufeln. Das Ei mit Mayonnaise dekorieren. Mit Rindersaftschinken und frischen Kräutern garnieren. Das Ei auf eine Scheibe Rindersaftschinken setzen und servieren.

… mit Sardellen

Das Ei pellen. Der Länge nach halbieren. Das Eigelb herauslösen und durch ein Sieb streichen. Mit Mayonnaise und Sherry verrühren. In die Eihälfte spritzen und mit Sardellen und Kapern garnieren.

… mit Kräutern

Das Ei pellen und der Länge nach halbieren. Das Eigelb herauslösen und durch ein Sieb streichen. Mit Remoulade, Joghurt und Kräutern verrühren. Die Creme in die Eihälfte spritzen und mit Kräutern garniert servieren.

… mit Seelachsschnitzeln

Das Ei pellen, der Breite nach halbieren und mit Zitronensaft beträufeln. Seelachsschnitzel grob hacken und auf die Eihälfte geben. Mit Kapern und Dill garniert servieren.

Für 4 Portionen:

4 Scheiben Bacon

2 Tl Speiseöl

ca. 100 g Rucola

8 Scheiben Vollkorntoast

4 Scheiben Schnittkäse,
z. B. Leerdammer

8 Tl Remoulade

4 Scheiben Tomate

Zubereitungszeit:
ca. 15 Minuten
Pro Portion: ca. 227 kcal/949 kJ

Würzige Käse-Taler

Bacon in erhitztem Öl knusprig braten. Den Rucola putzen, waschen und gut abtropfen lassen.

Mit einer runden Form Kreise aus Vollkorntoast und Käse von ca. 8 cm Ø ausstechen.

Toasttaler jeweils mit Remoulade bestreichen, 4 Taler mit Rucola, Käse, Bacon und Tomate belegen und mit den restlichen Toasttalern abdecken.

Käse-Schlemmerschnitte

Die Toastscheiben entrinden und die Kresse vom Beet schneiden. Erdbeeren waschen und halbieren.

Vier Toastscheiben jeweils mit der Hälfte der Mayonnaise bestreichen, darauf je eine Scheibe Käse legen, mit der Hälfte der Erdbeermarmelade bestreichen und die Hälfte der Kresse darauf verteilen.

Jeweils mit einer weiteren Toastscheibe abdecken, den Vorgang noch einmal wiederholen und mit den verbliebenen Scheiben abdecken.

Jedes „Sandwich" in vier gleich große Quadrate schneiden, mit kleinen Spießen fixieren und mit einer halben Erdbeere garniert servieren.

Für 16 Stück:

12 Scheiben Sandwichtoast
1 Beet Kresse
8 Erdbeeren
8 Tl Mayonnaise
8 Tl Erdbeermarmelade
8 Scheiben Schnittkäse,
z. B. Leerdammer

Zubereitungszeit:
ca. 15 Minuten
Pro Stück: ca. 125 kcal/523 kJ

Gefüllte Tomaten

Für 4 Portionen:

12 kleine Tomaten
Salz
4 El Olivenöl
1 Dose Thunfisch in Öl
(= 185 g)
125 g Mozzarella,
z. B. Santa Lucia
1 Bund Basilikum
8 grüne Oliven (mit Knoblauch gefüllt)
1 hart gekochtes Ei
frisch gemahlener Pfeffer
Zitronensaft

Zubereitungszeit:
ca. 20 Minuten
Pro Portion: ca.
335 kcal/1407 kJ

Die Tomaten waschen, je einen Deckel abschneiden, Kerne und das Fruchtfleisch herauslösen. Deckel (außer Stielansatz) fein würfeln.

Ausgehöhlte Tomaten innen mit Salz bestreuen und mit Olivenöl beträufeln. Thunfisch und Mozzarella abtropfen lassen, den Thunfisch in kleine Stücke zerteilen, Mozzarella würfeln.

Das Basilikum waschen, trockentupfen und die Hälfte fein hacken. Oliven in Scheiben schneiden. Das Ei schälen, würfeln und mit Thunfisch, Mozzarella, Tomatenwürfeln, Basilikum und Oliven vermischen. Mit Salz, Pfeffer und Zitronensaft abschmecken.

Die Mischung in die Tomaten füllen und nach Wunsch auf einem Salatbett anrichten. Mit dem restlichen Basilikum garniert servieren.

TIPP:

Für Salate und kalte Vorspeisen – italienisch „Antipasti" – eignen sich am besten die Mozzarellakugeln oder -rollen in Salzlake, da diese besonders frisch im Geschmack sind.

Für 4 Portionen:

4 Strauchtomaten
Salz,
Pfeffer
Oregano, gerebelt
6 El Olivenöl
3 El weißer Balsamessig
1 kleine Aubergine
2 Mozzarella (à 200 g),
z. B. Santa Lucia
2 Knoblauchzehen
1 Bund Basilikum

Zubereitungszeit:
ca. 30 Minuten
Marinierzeit: 30 Minuten
Pro Portion: ca. 269 kcal/1127 kJ

Mozzarella-Türmchen

Die Tomaten waschen, den Stielansatz entfernen, in Scheiben schneiden, in eine Schale legen und mit Salz, Pfeffer und Oregano bestreuen.

Mit zwei Esslöffeln Olivenöl sowie einem Esslöffel Balsamessig beträufeln und etwa eine halbe Stunde marinieren. Die Aubergine waschen, putzen, in Scheiben schneiden, salzen und ca. 20 Minuten ziehen lassen. Anschließend trockentupfen und mit etwas Pfeffer bestreuen.

Den Mozzarella abtropfen lassen, die Knoblauchzehen abziehen und beides in Scheiben schneiden. Die Knoblauchscheiben kurz in zwei Esslöffeln erhitztem Olivenöl anbraten und aus der Pfanne nehmen.

Die Auberginenscheiben in dem erhitzten Öl von beiden Seiten anbraten und das Fett abtupfen. Aus den Tomaten-, Auberginen- und Mozzarellascheiben auf vier Teller je zwei „Pisa"-Türmchen schichten.

Restliches Olivenöl mit verbliebenem Balsamessig verrühren, mit Salz und Pfeffer würzen und über die Türmchen träufeln.

Das Basilikum waschen, trockentupfen, Blättchen abzupfen und zusammen mit den Knoblauchscheiben die Türmchen damit garnieren.

TIPP:

Kombiniert mit würzigem Rucola und Radicchio-Salat sowie einem Stück warmem Ciabatta-Brot ergibt diese Komposition auch eine sommerliche Hauptmahlzeit. Dazu passt ein leichter, italienischer Rosé-Wein.

Variationen

Carpaccio

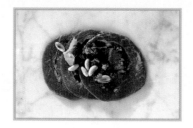

... mit Kräuterfüllung

Rinderfilet der Länge nach durchschneiden, zwischen Pergamentpapier legen und leicht klopfen. Pinienkerne rösten, hacken und mit gehackten italienischen Kräutern und etwas Tomatenmark mischen. Mit Salz und Pfeffer würzen. Das Filet mit der Masse bestreichen, aufrollen, anfrieren, in hauchdünne Scheiben schneiden und mit einer Kräuter-Vinaigrette anrichten.

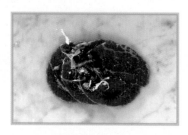

... mit Parmesan

Rinderfilet der Länge nach durchschneiden, zwischen Pergamentpapier legen und leicht klopfen. Rosmarin fein hacken und mit Olivenöl verrühren. Mit Salz und Zitronensaft würzen. Das Filet mit der Masse bestreichen, mit Parmesan bestreuen, aufrollen, anfrieren und in hauchdünne Scheiben schneiden. Mit Balsamico-Vinaigrette anrichten.

Carpaccio mit Provolone

Das Rinderfilet leicht anfrieren lassen. Anschließend mit einem scharfen Messer in hauchdünne Scheiben schneiden. Die Scheiben auf einer Platte gleichmäßig ausbreiten.

Den Zitronensaft mit dem Olivenöl verrühren und die Fleischscheiben damit bestreichen. Das Fleisch zugedeckt im Kühlschrank ca. 30 Minuten marinieren.

Die Fleischscheiben danach dekorativ auf Tellern anrichten. Mit Salz und Pfeffer würzen.

Die Champignons waschen, putzen und in dünne Scheiben schneiden. Den Provolone in dünne Scheiben hobeln. Beides über das Carpaccio streuen.

Die Frühlingszwiebel putzen und in feine Röllchen schneiden. Über das Carpaccio streuen und servieren.

TIPP

Carpaccio ist eine der wohl berühmtesten italienischen Vorspeisen. Es wurde in den 70er Jahren des 20. Jahrhunderts zu Ehren des berühmten italienischen Malers namens Carpaccio (1455/65 bis 1526) kreiert.

Für 4 Portionen:

200 g Rinderfilet
2 El Zitronensaft
4 El Olivenöl
Salz
Pfeffer aus der Mühle
100 g Champignons
100 g Provolone
1 Frühlingszwiebel

Zubereitungszeit:
ca. 40 Minuten
Zeit zum Marinieren:
ca. 30 Minuten
Pro Portion: ca. 376 kcal/1508 kJ

Gefüllte Weinblätter

Für 4 Portionen:

250 g eingelegte Weinblätter
5 Zwiebeln
4 Frühlingszwiebeln
175 g Langkornreis
2 El Pinienkerne
4 El gehackte frische Petersilie
3 El gehackte frische Minze
150 ml Olivenöl
Saft von 1 Zitrone
Salz
schwarzer Pfeffer
Zitronenspalten zum Garnieren

Zubereitungszeit:
ca. 1 Stunde, 20 Minuten
Pro Portion: ca. 453 kcal/1901 kJ

TIPP

Sie können auch frische Weinblätter verwenden.
Diese müssen dann portionsweise in kochendem Wasser blanchiert werden, bevor sie gefüllt werden können.

Die Weinblätter gut waschen und 5 Minuten in heißes Wasser legen. Dann in einem Sieb abtropfen lassen.

Die Zwiebeln waschen und fein hacken, die Frühlingszwiebeln putzen, waschen und in feine Ringe schneiden.

Den Reis mit Zwiebeln, Frühlingszwiebeln, Petersilie und Minze mischen und die Hälfte des Olivenöls sowie des Zitronensaftes dazugeben. Mit Salz und Pfeffer mischen.

Einen großen Topf mit 3 Weinblättern auslegen. Die restlichen Weinblätter mit je einem Teelöffel Reismischung auf der breiten Seite belegen. Die beiden Seiten rechts und links zusammenklappen und die Blätter von der breiten Seite zur Spitze hin aufrollen. Die Weinblätter in den Topf legen.

Das restliche Olivenöl und den restlichen Zitronensaft verrühren und die Weinblätter damit beträufeln.

Die Weinblätter mit einem Teller beschweren und mit heißem Wasser begießen. Bei geschlossenem Deckel etwa 1 Stunde bei geringer Temperatur garen. Mit Zitronenspalten garniert servieren.

Für 4 Portionen:

4 Strauchtomaten

1 Tl gehackte Kräuter

2 El gehackte Mandeln

1 El Pinienkerne

1 Becher Mascarpone
(= 250 g)

50 g Ziegenkäse

4 El Olivenöl

3 Knoblauchzehen

Salz

grob geschroteter schwarzer
Pfeffer

3 Bund Basilikum

1 El geriebener Parmesan

1 Stangenweißbrot

10 schwarze Oliven

Zubereitungszeit:
ca. 40 Minuten
Pro Portion: ca. 731 kcal/3062 kJ

Crostini-Teller

Die Tomaten kreuzweise einschneiden, den Strunk entfernen und mit kochendem Wasser überbrühen. Häuten, vierteln, Kerne entfernen, das Fruchtfleisch fein würfeln und die gehackten Kräuter darunter geben.

Gehackte Mandeln ohne Fett in einer beschichteten Pfanne anrösten, beiseite stellen, die Pinienkerne ebenfalls ohne Fett anrösten. Mascarpone (drei El zurückbehalten) und Ziegenkäse mit einem El Olivenöl pürieren.

Die Knoblauchzehen abziehen, eine zerdrücken und zu der Mascarponecreme geben. Mit Salz und Pfeffer pikant abschmecken. Basilikumblätter abzupfen (einige zum Verzieren zurücklegen), waschen, trockentupfen, mit gerösteten Pinienkernen, einem El Olivenöl und Parmesan pürieren.

Eine Knoblauchzehe zerdrücken, alles mit restlicher Mascarpone verrühren und mit Salz und Pfeffer abschmecken. Das Stangenbrot in Scheiben schneiden und im vorgeheizten Backofen bei 200 Grad (Gas Stufe 3) ca. zehn Minuten rösten.

Ein Drittel der Scheiben mit einer Knoblauchzehe abreiben und mit restlichem Olivenöl bestreichen, die Tomatenwürfel darauf verteilen, mit Salz und Pfeffer würzen und die gerösteten Mandeln daraufgeben. Ein Drittel der Brotscheiben mit der Mascarpone-Ziegenkäsecreme bestreichen und auf das letzte Drittel das Basilikum-Pesto verteilen.

Die Crostini auf einer Platte anrichten, mit restlichen Basilikumblättern und Oliven dekorieren. Dazu schmeckt ein trockener Rotwein.

Bruschetta alla caprese

Die Tomaten waschen, Stielansatz entfernen, vierteln, Kerne entfernen und das Fruchtfleisch würfeln. Mit Olivenöl vermischen und mit Zucker, Salz und Pfeffer abschmecken.

Den Mozzarella trockentupfen und grob reiben, Knoblauch abziehen. Das Ciabatta-Brot in Scheiben schneiden und im vorgeheizten Backofen bei 200 Grad (Gas Stufe 3) goldbraun aufbacken.

Die krossen Brotscheiben mit Knoblauch einreiben und mit Pesto bestreichen, den Mozzarella und die Tomatenwürfel darauf verteilen und im Backofen solange gratinieren, bis der Käse etwas zerlaufen ist.

Die Bruschetta mit Pfeffer und Oregano bestreuen und nach Wunsch mit Basilikumblättchen und schwarzen Oliven garniert servieren.

Für 4 Portionen:

4 Tomaten

2 Knoblauchzehen

1 Mozzarella (= 400 g)

4 El Olivenöl

etwas Zucker

Salz

grob geschroteter schwarzer Pfeffer

1 Ciabatta-Brot (= 500 g)

200 g Pesto (FP)

etwas Oregano, gerebelt

Zubereitungszeit:
ca. 20 Minuten
Pro Portion: ca. 733 kcal/3068 kJ

TIPP:

Zum Überbacken und Gratinieren eignet sich besonders gut die Block-Mozzarella. Sie enthält weniger Feuchtigkeit als die Mozzarella-Kugeln in Salzlake und schmilzt daher im Ofen besonders gut – gleichzeitig lässt sie sich auch besser reiben.

Tapas für vier Portionen

Marinierter Schafskäse

150 g Schafskäse, 1 Tl Thymian, 1 Tl Rosmarin, 1 El Petersilie, 1 El Sherryessig,
3 El Olivenöl, Pfeffer, 1 gehackte Knoblauchzehe
Pro Portion: ca. 287 kcal/1245 kJ

Den Schafskäse würfeln, die Kräuter mit Essig und Olivenöl verrühren, mit Pfeffer und Knoblauch würzen, über die Käsewürfel geben und ca. zwei Stunden marinieren.

Fischbällchen

200 g Rotbarschfilet, Pfeffer und Salz, 2 El gehackte Petersilie, 1 El Speisestärke,
3 El Butter, 2 El Oliven mit Paprika gefüllt und halbiert
Pro Portion: ca. 170 kcal/740 kJ

Das Fischfilet im Mixer pürieren, mit Pfeffer, Salz, Petersilie und Speisestärke vermischen und kleine Bällchen formen.

Die Butter in einer Pfanne erhitzen und die Fischbällchen ca. 5 Minuten bei mittlerer Hitze braten. Die Fischbällchen auf einen Teller geben und mit den Oliven dekorieren.

Tintenfische

400 g kleine Tintenfische, 2 El Butterschmalz, 2 gehackte Knoblauchzehen,
1/2 rote Paprikaschote, kleingewürfelt, 3 Zweige Petersilie, Pfeffer, Salz,
Saft von 1/2 Zitrone
Pro Portion: ca. 190 kcal/822 kJ

Die Tintenfische gründlich säubern und in Stücke schneiden. Butterschmalz in einer Pfanne erhitzen und die Tintenfische ca. 3 Minuten darin braten.
Die Paprika würfeln, Knoblauch und Petersilie zugeben, noch ca. 1 Minute dünsten. Mit Pfeffer und Salz würzen. Nach Geschmack mit Zitronensaft beträufeln.

Marinierte Zucchinischeiben

2 Zucchini, 3 El Öl, Pfeffer, Salz, 2 El Kräuteressig, 1 Tl Thymian, 1 gehackte
Knoblauchzehe
Pro Portion: ca. 90 kcal/390 kJ

Die Zucchini putzen und in Scheiben schneiden. Das Öl in einer Pfanne erhitzen, die Zucchinischeiben von beiden Seiten kurz anbraten.
Die Zucchinischeiben mit dem Fond in eine Schale geben. Mit Pfeffer und Salz würzen. Den Kräuteressig mit dem Thymian und dem Knoblauch vermischen und über die Zucchinischeiben gießen, ca. 2 Stunden marinieren lassen.

Gänseleberpastete

Für 4 Portionen:

1 große Gänseleber

Milch

Salz

2–3 Trüffel

400 g Schweinefleisch

60 g geräucherter Speck

6 Champignons

3 Sardellen

abgeriebene Schale von
1 unbehandelten Zitrone

2 Eier

Pastetengewürz

Butter

2 dünne Scheiben Speck

Zubereitungszeit:
ca. 25 Minuten
(plus Garzeit)
Pro Portion: ca. 520 kcal/2184kJ

Gänseleber ca. 2 Stunden in Milch legen, anschließend abtrocknen und häuten. Die Leberkanten abschneiden, Leber in 2 Teile teilen und mit Salz bestreuen.

Trüffel klein schneiden. Leber einige Male leicht einschneiden und Trüffelstückchen hineinstecken. Das Schweinefilet mit Speck sowie den abgeschnittenen Leberstückchen zweimal durch einen Fleischwolf drehen.

Champignons putzen, sauber bürsten und klein schneiden. Sardellen fein hacken, mit etwas Zitronenschale und einigen gehackten Champignons zur Fleischmasse geben und 2–3-mal durch den Fleischwolf drehen. Eier, Salz und etwas Pastetengewürz dazugeben.

Terrinenform mit Butter einfetten und die Hälfte der Masse hineinfüllen. Die Leber hineinlegen und mit der restlichen Masse bedecken. Mit den Speckscheiben abdecken und Terrinenform schließen. Die Fettpfanne mit kochendem Wasser füllen, Terrine hineinstellen und bei 100 °C ca. 2 Stunden garen.

Variation

... mit Tomate

Tomaten in Scheiben schneiden und salzen. Basilikum und getrocknete Tomaten mit Olivenöl und Weinessig, Salz und Pfeffer verrühren. Gänseleberpastete auf den Tomaten anrichten, mit dem Dressing beträufeln und mit Pinienkernen bestreuen.

Für 4 Portionen:

250 g Geflügelleber

5 Salbeiblätter

1 Tl Öl

1 Tl Sojasauce

Salz

frisch gemahlener Pfeffer

Worcestershiresauce

100 g Butter

10 Walnusskerne

Zubereitungszeit:
ca. 35 Minuten
(plus Garzeit)
Pro Portion: ca. 613 kcal/2573kJ

Variation

Die Leberpastete in Blumenform ausstechen. Mascarpone mit Anisschnaps glatt rühren und auf Gurkenscheiben streichen. Wurst darauf legen, mit Tomate und Silberzwiebel garnieren.

Leberpastete mit Walnüssen

Leber waschen, abtrocknen und würfeln. Mit dem Salbei in Öl ca. 3 Minuten kräftig anbraten. Hitze reduzieren und ca. 5 Minuten ziehen lassen; die Leber soll innen noch rosa sein.

Die Hälfte der Leber lauwarm mit Salbei, Gewürzen und Butter pürieren und abschmecken. Restliche Leber in Streifen schneiden und Walnusskerne vierteln.

Lebercreme und -streifen sowie die Nüsse in eine passende Form einschichten und kalt stellen. Zum Servieren stürzen und in Scheiben schneiden.

Für 4 Portionen:

2 Zwiebeln

1 Stück Sellerie

1 Möhre

800 g Kalbsnuss

1 Lorbeerblatt

Salz

Pfefferkörner

1/8 l trockener Weißwein

1 Dose Tunfisch (150 g)

3 Sardellenfilets

150 ml Olivenöl

3 El Zitronensaft

Pfeffer

1 Glas Kapern (30 g)

Zubereitungszeit:
ca. 1 Stunde 40 Minuten
(plus Ruhezeit)
Pro Portion: ca. 698 kcal/2930 kJ

Vitello Tonnato

Die Zwiebeln putzen, aber nicht schälen. Den Sellerie und die Möhre waschen, schälen und grob würfeln. Die Kalbsnuss waschen und trockentupfen.

Das Fleisch mit dem Gemüse, dem Lorbeerblatt und einigen Pfefferkörnern in ca. 1,5 l Salzwasser ca. 1 1/2 Stunden köcheln lassen.

Das Fleisch abkühlen lassen, in eine Schüssel legen und mit dem Weißwein und so viel Fleischsud übergießen, dass es bedeckt ist. Abgedeckt im Kühlschrank 12 Stunden ziehen lassen.

Für die Sauce den Thunfisch abtropfen lassen und mit den Sardellen mit dem Pürierstab fein pürieren. Olivenöl, Zitronensaft und Pfeffer unterrühren. Die Sauce sollte die Konsistenz einer dickflüssigen Mayonnaise haben.

Das Fleisch aus dem Sud nehmen, in dünne Scheiben schneiden und auf einer großen Platte anrichten. Mit der Sauce bedecken, mit Kapern bestreuen und servieren.

Weinbergschnecken in Kräuterbutter

Die Schnecken 24 Stunden fasten lassen. Danach für 30 Minuten in kochendes Salzwasser geben. Das Wasser abgießen und die Schnecken aus den Häusern lösen, den schwarzen Darm dabei entfernen. Anschließend die Schnecken für 10 Stunden in Salz und Essig einlegen.

Das Gemüse putzen, waschen und klein schneiden. Die Schnecken abwaschen und in 1 l Wasser, dem Wein, den Kräutern und Gewürzen sowie dem Gemüse für 3 Stunden zugedeckt kochen. Die Schneckenhäuser in reichlich Salzwasser 30 Minuten auskochen und alle Verschmutzungen entfernen.

Für die Kräuterbutter alle Zutaten mit der weichen Butter vermischen. In jedes Schneckenhaus ein Butterflöckchen geben, eine Schnecke leicht hineindrücken und das Schneckenhaus mit einem weiteren Klecks Kräuterbutter verschließen.

Die gefüllten Schneckenhäuser in Schneckenförmchen füllen und im Backofen ca. 20–25 Minuten backen.

Für 4 Portionen:

4 Dutzend lebende Weinbergschnecken
250 g grobes Meersalz
250 ml Essig
0,375 l Weißer Burgunder
1 Zwiebel mit 1 Nelke gespickt
1 Möhre
1 Stange Staudensellerie
2 Zweige Thymian
2 Lorbeerblätter
1 Bund Petersilie
2 Knoblauchzehen
Salz
schwarzer Pfeffer aus der Mühle
Für die Kräuterbutter:
400 g zimmerwarme Butter
4 El gehackte Petersilie
1 fein gewürfelte Schalotte
2 gepresste Knoblauchzehen
Salz
Pfeffer aus der Mühle

Zubereitungszeit: ca. 2 Stunden (plus Zeit zum Fasten und Einlegen
Pro Portion: ca. 989 kcal/4141 kJ

TIPP

Die Schnecken können Sie auch bereits küchenfertig geputzt kaufen. Ebenso erhältlich sind gereinigte, gebrauchsfertige Schneckenhäuser.

Tomatensalat „Caprese"

Für 4 Portionen:

600 g Tomaten
200 g Mozzarella
2 Bund Basilikum
5 El Olivenöl
2 El Zitronensaft
Salz
Pfeffer aus der Mühle
schwarze Oliven und Toma-
tenrose zum Garnieren

Zubereitungszeit:
ca. 15 Minuten
Pro Portion: ca. 305 kcal/1281 kJ

Die Tomaten waschen, die Stielansätze herausschneiden und die Tomaten in Scheiben schneiden.

Den Mozzarella abtropfen lassen und in Scheiben schneiden. Das
Basilikum waschen, trocknen und die Blätter abzupfen.

Tomaten, Mozzarella und Basilikum abwechselnd dachziegelartig auf
eine Platte schichten.

Das Öl mit dem Zitronensaft verrühren. Die Sauce anschließend salzen und pfeffern und über den Salat geben.

Den Salat mit einer Tomatenrose und schwarzen Oliven garniert servieren.

Für 4 Portionen:

500 g Feigen

2 cl Grand Manier

1 El Zitronensaft

1 Bund Zitronenmelisse

100 g Bündner Fleisch
(Aufschnitt)

Salatblätter zum Garnieren
(z. B. Lollo Rosso und
Feldsalat)

4 Crissini (italienische
Brotstangen)

Zubereitungszeit:
ca. 10 Minuten
Pro Portion: ca. 147 kcal/620 kJ

Feigen-Cocktail

Die Feigen waschen, schälen und in Spalten schneiden. Alles in eine Form füllen und mit dem Grand Marnier und dem Zitronensaft beträufeln.

Die Zitronenmelisse waschen, trocknen, in Streifen schneiden und die Feigen damit bestreuen. Alles ca. 5 Minuten ziehen lassen.

Das Bündner Fleisch in hauchdünne Scheiben schneiden.

Die Fleischscheiben aufrollen und auf vier Dessertteller nach Belieben mit Salatblättern dekorativ anrichten. Die Feigen dazulegen. Mit Crissini servieren.

Gemüseplatte italienische Art

Für 4 Portionen:

250 g Zucchini

1 rote Zwiebel

3 El Öl

1 El Zitronensaft

Salz

Pfeffer aus der Mühle

Paprikapulver

10 g italienische Kräuter

250 g junge Möhren

1 Tl Gemüsefond

1/2 Tl Zucker

2 El Himbeeressig

3 El Olivenöl

2 Zweige Estragon

1 Fladenbrot

50 g Kräuterbutter

Zubereitungszeit: ca. 50 Minuten
Pro Portion: ca 515 kcal/2163 kJ

Die Zucchini putzen, waschen und anschließend in dünne Scheiben schneiden.

Die Zwiebel schälen und in Ringe schneiden. Das Öl in einer Pfanne erhitzen und die Zucchinischeiben und die Zwiebelringe darin andünsten.

Das Ganze mit Zitronensaft beträufeln und anschließend mit Salz, Pfeffer und Paprikapulver würzen. Die Kräuter dazugeben.

Die Möhren putzen, schälen und der Länge nach in dünne Streifen schneiden. 6 El Wasser mit dem Gemüsefond in einem Topf verrühren.

Den Zucker und den Essig unterrühren, aufkochen lassen und die Möhrenstreifen darin ca. 5 Minuten blanchieren.

Die Möhren im Sud erkalten lassen. Anschließend in einem Sieb abtropfen lassen.

Das Öl mit den Möhrenstreifen mischen. Estragon putzen, waschen und die einzelnen Blättchen abzupfen. Die Estragonblättchen auf den Möhrenstreifen verteilen und das Ganze ca. 15 Minuten ziehen lassen.

Das Fladenbrot kurz im Backofen erwärmen, in Stücke brechen und mit der Kräuterbutter bestreichen. Zusammen mit dem Gemüse auf einer Platte anrichten und servieren.

Für 4 Portionen:

1/4 Honigmelone

1/4 Cantaloupemelone

60 g roher Schinken, dünn geschnitten

60 g Putenbrust, dünn geschnitten

25 g scharfer Senf

2 El Honig

1 El frische, gehackte Minze

Zubereitungszeit:
ca. 15 Minuten
Pro Portion ca. 80 kcal/334 kJ

Tipp

Melonen bestehen zum größten Teil aus Wasser, enthalten daneben aber auch jede Menge Mineralstoffe. Die typisch italienische Kombination aus Schinken und Melone ist besonders an Sommertagen eine erfrischende kleine Mahlzeit.

Melonenbällchen

Die Melonenviertel schälen und entkernen. Aus dem Fruchtfleisch Kugeln ausstechen und beiseite stellen. Den Rest der Früchte anderweitig verwerten.

Schinken und Putenbrustscheiben in etwa 10 x 3 cm große Streifen schneiden.

Die Melonenbällchen abwechselnd in die Putenbrust- oder Schinkenstreifen einwickeln, mit Zahnstochern feststecken und auf Teller anrichten.

Aus Senf, Honig und Minze eine Sauce rühren und zu den Melonenbällchen servieren.

Gefüllte Zucchiniröllchen

Für 4 Portionen:

4 Zucchini
60 g Pinienkerne
1 Zwiebel
2 Knoblauchzehen
125 g Mozzarella
1/2 Bund Basilikum
1/2 Bund Petersilie
50 g frisch geriebener
Parmesan
200 g Hüttenkäse
Küchengarn
1 Päckchen
Tomatensauce (FP)

Zubereitungszeit:
ca. 20 Minuten
Pro Portion ca.335 kcal/1407 kJ

Den Backofen auf 180 °C (Umluft 160 °C) vorheizen. Die Zucchini putzen, waschen, trocknen und mit dem Gemüsehobel in etwas dickere Scheiben schneiden.

Die Pinienkerne in einer beschichteten Pfanne ohne Fett rösten. Anschließend 2/3 davon hacken. Den Rest zum Garnieren beiseite legen. Zwiebel und Knoblauchzehen schälen und fein hacken. Den Mozzarella würfeln. Die Kräuter waschen, trockenschütteln und fein wiegen.

Alle Zutaten gut miteinander mischen. Je 1 El Füllung auf eine Zucchinischeibe geben, zusammenrollen und mit Küchengarn fixieren.

Die Röllchen in eine Auflaufform setzen und die Tomatensauce angießen. Im Backofen ca. 20 Minuten garen. Dann sofort mit den zurückgelegten Pinienkernen bestreut servieren.

Roastbeef mit Kräuterpaste

Für 4 Portionen:

3 Baguettebrötchen

100 g Knoblauchbutter
(Fertigprodukt)

3 Bund Petersilie

1 Bund Basilikum

1 Knoblauchzehe

5 El Olivenöl

1 El Limettensaft

Salz

300 g Roastbeef-Aufschnitt

Zubereitungszeit:
ca. 10 Minuten
Pro Portion: ca. 643 kcal/2701 kJ

Den Backofen auf 222 °C vorheizen. Die Baguettebrötchen quer in Scheiben schneiden und mit der Knoblauchbutter bestreichen.

Die Kräuter waschen, trockenschütteln und die Blättchen fein hacken. Die Baguettescheiben im Backofen ca. 6 Minuten rösten.

Inzwischen die Knoblauchzehe pellen und durchpressen.

Die Kräuter und den Knoblauch miteinander mischen.

Das Öl und den Limettensaft unterrühren. Mit Salz abschmecken.

Das Roastbeef mit der Kräuterpaste anrichten und die gerösteten Baguettescheiben dazu reichen.

Variationen
Roastbeef

... mit Bohnen

Roastbeef in Scheiben schneiden.
Grüne Bohnen bissfest garen. Auf dem
Fleisch verteilen und mit Salatsauce
und geriebenem Parmesan garnieren.

... mit Meerrettich

Roastbeef in Scheiben schneiden. Groben Senf mit Meerrettich verrühren.Das
Fleisch damit bestreichen. Mit Frühlingszwiebeln und Perlzwiebeln garnieren.

Leberwurst-Taler

Für 4 Portionen:

250 g Schweinebauch
1 Bund Suppengrün
1 Lorbeerblatt
1 Tl Pfefferkörner
Salz
125 g Leber
60 g fetter Speck
Majoran
Pfeffer
Nelkenpulver
1 Zwiebel
1 Bund frischer Majoran
1 Bund Radieschen
16 runde Pumpernickel-scheiben
Butter zum Bestreichen

Zubereitungszeit:
1 Stunde 20 Minuten
Pro Portion: ca. 562 kcal/2349 kJ

Den Schweinebauch mit dem geputzten Suppengrün, dem Lorbeerblatt, Pfeffer und Salz mit Wasser bedeckt ca. 1 Stunde köcheln lassen. 5 Minuten vor Ende der Garzeit die Leber dazugeben. Anschließend das Fleisch herausnehmen und die Brühe durchsieben.

Die Hälfte des Schweinebauchs, die Leber und den Speck durch den Fleischwolf drehen. Das restliche Fleisch in feine Würfel schneiden und unterrühren. Mit der Brühe zu einer streichfähigen Masse verrühren und mit Salz, Pfeffer, Majoran und Nelkenpulver abschmecken.

Die Zwiebel schälen und in Ringe schneiden. Den Majoran waschen und trockenschleudern. Die Radieschen waschen und in Scheiben schneiden.

Die Brotscheiben mit Butter und der Leberwurst bestreichen und mit Zwiebelringen, Majoran und Radieschescheiben garnieren.

Variation

Leberwurst

... Spirellos

Feine Leberwurst mit Portwein glatt rühren. Spiralförmig auf mit Gurkenscheiben belegte Cracker spritzen. Das Ganze mit Johannisbeeren und Petersilie garnieren.

Pumpernickel-Taler

Die Taler auf einer Arbeitsfläche ausbreiten. 8 Pumpernickel-Taler mit etwas Butter bestreichen.

Die Frühlingszwiebeln putzen, waschen und in Stücke schneiden. Das Bündner Fleisch auf weitere 8 Pumpernickel-Taler verteilen und die Frühlingszwiebelstücke darauf legen.

Die Paprikaschoten putzen, waschen, halbieren, entkernen und in Streifen schneiden. Die Salamiwürfel und die Paprikastreifen auf die mit Butter bestrichenen Pumpernickel-Taler legen.

Den Frischkäse mit der Sahne und dem Meerrettich verrühren. Die restlichen Taler mit dem Frischkäse bestreichen. Die Forellenfilets in Stücke schneiden und auf dem Frischkäse verteilen. Mit Petersilie garnieren.

Alle Taler auf einer Platte anrichten und servieren.

Für 4 Portionen:

24 Pumpernickel-Taler

30 g Butter

100 g Frühlingszwiebeln

50 g Bündner Fleisch

Je 1/2 rote, gelbe und grüne Paprika

100 g Salamiwürfel

3 El Frischkäse

2 El Sahne

1 Tl Meerrettich

100 g geräuchertes Forellenfilet

Petersilie zum Garnieren

Zubereitungszeit:
ca. 25 Minuten
Pro Portion: ca.399 kcal/1675 kJ

45

400 g gemischtes Hackfleisch

1 Eigelb

1 El Kapern

1 rote Zwiebel

Salz

Pfeffer

1 El Senf

1 1/2 El Schmand

Zubereitungszeit:
ca. 20 Minuten
Pro Portion: ca. 528 kcal/2219 kJ

Variation

Tatar

... mit Ei

Tatar mit Salz, Pfeffer, Senf, gehackten Zwiebeln, gehackten Kapern und gehackten Gewürzgurken mischen. Mit gekochten Eischeiben, Paprikaringen, Zwiebelringen, Rosmarin und Senf garniert servieren.

Hackfleischbällchen ...

Hackfleisch mit Eigelb, fein gehackten Kapern und roten Zwiebeln mischen. Mit Salz, Pfeffer und Senf würzen. Mit Schmand zu einem glatten Teig verkneten. Mit feuchten Händen Bällchen formen und in der Pfanne von allen Seiten braten. Die Bällchen mit Cremetupfen servieren.

... Mit Kapern

Remoulade mit Kapern mischen und zum Fleisch reichen.

... Mit Pfeffer

Mayonnaise mit buntem, geschrotetem Pfeffer glatt rühren und zum Fleisch reichen.

... Mit Kräuterbutter

Kräuterbutter mit rosa Pfefferkörnern garnieren und zum Fleisch reichen.

... Mit Kräutern

Mayonnaise mit etwas Tomatenmark und gemischten Kräutern verrühren.

... Mit Chili

Mayonnaise mit Chili und Paprikapulver verrühren.

... Mit Mango

Mango pürieren und mit Zitronensaftund Currypulver verrühren.

Hackbällchen im Nudelnetz

Für 4 Portionen:

50 g dünne Eiernudeln

Salz

1 Schalotte

100 g Thai-Soi

1 frisches Stück Ingwer (1 cm)

1 El ungesalzene Erdnüsse

125 g Schweinehackfleisch

1 Tl Garnelenpaste

1 El Zitronensaft

2 El Fischsauce (FP)

1 El Öl

Frittierfett zum Ausbacken

Zubereitungszeit:
ca. 45 Minuten
Pro Portion: ca. 180 kcal/756 kJ

Die Nudeln nach Packungsanweisung in Salzwasser zubereiten. Die Schalotte schälen und fein hacken. Den Thai-Soi putzen, waschen, trocknen und ebenfalls fein hacken. Den Ingwer schälen und fein reiben. Die Erdnüsse fein hacken.

Schalotte, Thai-Soi, Ingwer und Erdnüsse mit dem Hackfleisch mischen und mit der Garnelenpaste, dem Zitronensaft und der Fischsauce abschmecken.

Anschließend aus der Fleischmasse kleine Bällchen formen. Die Nudeln abgießen, gut abtropfen lassen und mit dem Öl mischen. Jeweils 4 Nudeln nebeneinander legen und wie ein Netz um die Hackbällchen wickeln.

Die Hackbällchen in heißem Frittierfett portionsweise goldgelb ausbacken. Herausnehmen, auf Küchenpapier abtropfen lassen und servieren.

Variation

Wer möchte, kann das Hackfleisch durch sehr klein gehackte Garnelen ersetzen. Damit die Bällchen beim Frittieren besser halten, sollte man ein Ei unter die Masse kneten.

Enten-Rosen-Terrine

Das Fleisch waschen und in Streifen schneiden. Den Speck in Würfel schneiden. Die Zwiebel schälen und würfeln. Das Öl erhitzen und das Fleisch mit dem Speck und den Zwiebeln darin anbraten. Mit Salz und Pfeffer würzen.

Die Knoblauchzehen schälen und dazupressen. Alles ca. 7 Minuten ziehen lassen. Anschließend durch die feine Scheibe des Fleischwolfs drehen.

Die Petersilie waschen, trocknen und die Blättchen abzupfen. Die Äpfel schälen, halbieren, das Kerngehäuse entfernen und in Würfel schneiden. Mit dem Calvados beträufeln.

Die Gurken abtropfen lassen und in Würfel schneiden. Die Champignons putzen und in Scheiben schneiden. Den Schinken in Streifen schneiden.

Kleine Terrinenförmchen mit Rosenblättern auskleiden. Das Püree mit den restlichen Zutaten vermengen und in die Förmchen füllen. Mit Rosenblättern abdecken. Alles im Kühlschrank fest werden lassen.

Für 4 Portionen:

Für die Terrine:
350 g Entenbrustfilet
125 g fetter Speck
1 Zwiebel
3 El Öl
Salz, Pfeffer
2 Knoblauchzehen
1/2 Bund glatte Petersilie
200 g Äpfel
2 El Calvados
100 g eingelegte Gurken
100 g Champignons
200 g gekochter Schinken
Rosenblätter

Zubereitungszeit:
ca. 1 1/4 Std.
(plus Kühlzeit)
Pro Portion: ca. 605 kcal/2542 kJ

Johannisbeer-Parfait

Das Eigelb mit dem Ei und dem Zucker im Wasserbad aufschlagen. Die Sahne steif schlagen. Die Johannisbeeren waschen, trocknen und mit dem Schneidstab des Handrührgerätes pürieren.

Die Melisse waschen, trocknen und fein hacken. Eine Kastenform von ca. 500 ml Inhalt mit Klarsichtfolie auslegen. Die Sahne mit den Johannisbeeren und der Melisse vorsichtig unter die Eicreme rühren.

Alles in die Form geben und glatt streichen. Die Form leicht auf die Arbeitsfläche klopfen, damit sich die Creme richtig verteilt. Mit Klarsichtfolie abdecken und 1 Nacht gefrieren lassen.

Die Entenbrust in dünne Scheiben schneiden und vier Teller damit auslegen. Das Parfait aus der Form stürzen, in Scheiben schneiden und auf den Bratenscheiben anrichten.

Für 4 Portionen:

2 Eigelb
1 Ei
100 g Zucker
100 ml Sahne
100 g Johannisbeeren
50 g Melisseblättchen
600 g geräucherte Entenbrust (beim Metzger vorbestellen)

Zubereitungszeit:
ca. 30 Minuten
(plus Zeit zum Gefrieren)
1141 kcal/4792 kJ

Gemüsechips mit Dip

Das Gemüse putzen, waschen, schälen und in dünne Scheiben hobeln. Die Scheiben portionsweise in heißem Fett knusprig frittieren. Herausnehmen und gut abtropfen lassen.

Die Kräuter waschen, trocknen, von den Stielen zupfen und mit den Pinienkernen, dem Parmesan und dem Olivenöl in einem Mixer pürieren. Das Pesto mit Salz und Pfeffer abschmecken.

Den Gorgonzola mit einer Gabel zerdrücken und mit dem Schmand verrühren. Mit Salz und Pfeffer abschmecken.

Den Mascarpone mit den beiden Senfsorten verrühren und ebenfalls mit Salz und Pfeffer abschmecken.

Die Paprikaschote putzen, waschen, halbieren, die Kerne entfernen und in sehr feine Würfel schneiden.

Zusammen mit dem Frischkäse, dem Joghurt und dem Currypulver zu einem Currydip verrühren. Mit Salz und Pfeffer abschmecken. Die vier Dips zusammen mit den Gemüsechips servieren.

Für 4 Portionen:

Für die Chips:

ca. 1 kg verschiedene Knollengemüse (Sellerie, Kohlrabi, Pastinaken, Möhren, Rote Bete usw.)

Öl zum Frittieren

je 1 Bund Basilikum, Petersilie und Schnittlauch

4 El Pinienkerne

3 El frisch geriebener Parmesan

100 ml Olivenöl

Salz

Pfeffer

150 g Gorgonzola

200 g Schmand

250 g Mascarpone

1 El Kräutersenf

2 El süßer Senf

1 rote Paprikaschote

250 g Frischkäse

125 g Joghurt

1 El Currypulver

Zubereitungszeit:
ca. 40 Minuten
Pro Portion: ca. 1174 kcal/4930 kJ

Kaviar-Häppchen

Für 4 Portionen:

100 g Mehl

100 ml Milch

4 El Butter

2 Tl Zucker

1 Prise Salz

1 Ei

Mineralwasser

20 g Kaviar

Zitronenmelisse
zum Garnieren

Zubereitungszeit:
ca. 35 Minuten
Pro Portion: ca. 431 kcal/1812 kJ

Das Mehl in eine Schüssel sieben und die Milch unterkneten. 1 El Butter schmelzen und mit Zucker und Salz dazugeben.

Das Ei aufschlagen und ebenfalls unter das Mehl kneten. Alles mit Mineralwasser auffüllen, bis ein glatter, flüssiger Teig entsteht.

Die restliche Butter in einer Pfanne erhitzen und aus dem Teig portionsweise goldbraune Pfannkuchen ausbacken. Anschließend warm stellen.

Die Pfannkuchen zu Dreiecken falten und mit dem Kaviar und der Zitronenmelisse servieren.

Für 4 Portionen:

650 g ganz frisches Thun-
fischfilet

2 Zitronen

200 g Himbeeren (TK)

1 El Kapern

2 Zweige Rosmarin

250 ml Reiswein

6 El Olivenöl

8 Kartoffelpuffer (FP)

2 Kästchen Kresse

Zitronenpfeffer

Zubereitungszeit:
ca. 45 Minuten
Pro Portion: ca. 962 kcal/4041 kJ

**Dazu passen
Jakobsmuscheln**

... mit Chili

Jakobsmuschelfleisch in
Chilisauce und Obstbrand
marinieren. In Pfefferbutter
(FP) braten und mit Salz
und Pfeffer würzen. Chili
und Paprika in Bratfett wenden. Alles in Muschelschalen anrichten und mit der
Butter beträufeln. Mit Limonenscheiben und Johannis-
beeren garnieren.

Thunfisch-Carpaccio

Das Thunfischfilet etwas anfrieren lassen und mit der Aufschnittmaschi-
ne in hauchdünne Scheiben schneiden. Die Scheiben in einer großen, flachen
Form ausbreiten.

Die Zitronen auspressen. Die Himbeeren auftauen lassen. Die Kapern
abtropfen lassen. Die Rosmarinzweige waschen, trocknen und die Blättchen
von den Stielen zupfen.

Das Fischfilet mit dem Zitronensaft beträufeln. Den Reiswein mit dem Olivenöl mischen. Die Himbeeren, Kapern und Kräuterblättchen dazugeben und
alles über die Fischscheiben gießen. Ca. 20 Minuten ruhen lassen.

Die Kartoffelpuffer nach Packungsanweisung zubereiten. Die Kresse vom
Beet schneiden, waschen und trocknen.

Die Thunfischscheiben auf den Kartoffelpuffern anrichten, mit Kresse
garniert und mit Zitronenpfeffer bestreut servieren.

Shrimps-Cocktail

Für 4 Portionen:

300 g Shrimps aus dem Kühlregal

1 El Zitronensaft

150 g Feldsalat

200 g Mandarinen aus der Dose

200 g Austernpilze

100 g Mungobohnenkeime aus der Dose

10 El Gewürzketchup

6 El Schmand

2 El Olivenöl

1/2 Tl Salz

1/2 Tl Pfeffer

1/2 Tl Paprikapulver

4 schöne Blätter Lollo rosso

Zubereitungszeit: ca. 25 Minuten
Pro Portion: ca. 316 kcal/1329 kJ

TIPP:

Probieren Sie diesen erfrischenden Snack doch auch einmal mit Flusskrebsfleisch oder großen Garnelen aus dem Kühlregal.

Die Shrimps in einem Sieb abspülen und abtropfen lassen. In eine Schüssel geben und mit dem Saft beträufeln. Den Feldsalat putzen, waschen, trocknen und gelbe und welke Blätter entfernen.

Die Mandarinen in einem Sieb abtropfen lassen und den Saft dabei auffangen. Die Austernpilze putzen, waschen und in Stücke schneiden. Die Bohnenkeime ebenfalls in einem Sieb abtropfen lassen.

Shrimps, Mandarinen, Pilze und Keime in eine Schüssel geben und vorsichtig vermengen. Das Ketchup mit Schmand, Mandarinensaft, Öl, Salz, Pfeffer und Paprika verrühren.

Lollo rosso waschen, trocknen und zusammen mit dem Feldsalat Glasschälchen damit auskleiden. Den Shrimps-Cocktail auf die Teller geben, alles mit der Sauce beträufeln und servieren.

Für 4 Portionen:

12 küchenfertige Scampi

Salz

Pfeffer aus der Mühle

1 El Ingwermarmelade

2 Tl Honig

2 El Zitronensaft

1 Ei

Mehl zum Wenden

1 El Öl

30 g gehobelte Mandeln

3 El Sahne

2 El Butter

Zubereitungszeit: 35 Minuten
(plus 30 Minuten Marinierzeit)
Pro Portion: ca. 311 kcal/1301 kJ

Variation

Scampi

... mit Ananas

Küchenfertige Scampi waschen, trocknen und mit Zitronensaft beträufeln. Butter in einer Pfanne erhitzen und die Scampi darin von beiden Seiten kurz braten. Auf Tellern anrichten. Mit Currypulver bestreuen und mit Ananas und frischen Kräuterblättchen garniert servieren.

Scampi aus dem Ofen

Die Scampi waschen, trocknen und mit Salz und Pfeffer würzen.

Die Ingwermarmelade mit dem Honig und dem Zitronensaft verrühren und die Scampi darin ca. 30 Minuten marinieren.

Das Ei verquirlen. Die Scampi aus der Marinade nehmen und erst in dem Ei und dann im Mehl wenden.

Das Öl erhitzen und die Scampi darin von jeder Seite ca. 2 Minuten braten. Herausnehmen, abtropfen lassen und in eine Gratinform legen.

Die Mandelblättchen in einer Pfanne ohne Fett goldbraun rösten und über die Scampi verteilen.

Die Sahne angießen und die Butter in Flöckchen darüber verteilen. Das Ganze im vorgeheizten Backofen auf der oberen Einschubleiste bei 225 °C ca. 10 Minuten überbacken.

Frittierte Garnelen

Die Garnelen waschen, Köpfe und Schalen entfernen, das Schwanzende am Garnelenkörper belassen. Den Darm entfernen und die Garnelen nochmals waschen.

Thai-Soi putzen, waschen und in Röllchen schneiden. Die Korianderwurzeln putzen, schälen und fein hacken. Beides zusammen mit den Pfefferkörnern im Mörser fein zerstoßen.

Die Zitrone waschen, trocknen und die Schale abreiben. Zusammen mit der Fischsauce zu den zerstoßenen Zutaten geben und mischen. Die Garnelen dazugeben und ca. 20 Minuten marinieren lassen.

Inzwischen aus dem Mehl und einem Esslöffel Wasser einen Teig anrühren. Die Teigblätter kurz einweichen. Anschließend in vier gleiche Teile schneiden.

Die Garnelen aus der Marinade nehmen, abtropfen lassen, einzeln in die Teigviertel einrollen und die überstehenden Teigreste mit der Mehlpaste einstreichen und andrücken. Anschließend die Garnelen in heißem Frittierfett goldgelb ausbacken. Mit der Sauce servieren.

Für 4 Portionen:

16 Riesengarnelen
100 g Thai-Soi
2 Korianderwurzeln
1 Tl schwarze Pfefferkörner
1 Zitrone, 1 El Garnelenpaste
1 El Fischsauce (FP)
1 El Mehl
4 Reisteigblätter (22 cm Ø)
Frittierfett zum Ausbacken
Süß-saure Fischsauce (FP)

Zubereitungszeit:
ca. 25 Minuten
Pro Portion: ca. 353 kcal/1482 kJ

Variation

Garnelen in Bierteig

Gekochte Garnelenschwänze mit Zitronensaft beträufeln und durch einen Bierteig ziehen. Anschließend in heißem Fett goldbraun ausbacken. Mit Kräutern, Paprika, Lauch und Keta-Kaviar garniert servieren.

Matjestatar

Für 4 Portionen:

6 milde Matjesfilets

1 1/2 kleine rote Schalotten

2 1/2 El kalt gepresstes Olivenöl

2 El Kapern

Frisch gemahlener schwarzer Pfeffer

Zitronensaft

1 Knoblauchzehe

4 Scheiben kräftiges Landbrot

1/2 Salatgurke

Tomaten- und Zitronenachtel zum Garnieren

Zubereitungszeit:
ca. 20 Minuten
(plus Kühlzeit)
Pro Portion: ca. 770 kcal/3234 kJ

Die Matjesfilets kurz mit Wasser abspülen und trockentupfen. Gräten mit einer Pinzette entfernen. Die Filets anschließend in kleine Würfel schneiden.

Die Schalotten schälen. 1 Schalotte sehr fein würfeln, mit 2 El Olivenöl zu den Matjeswürfeln geben und unterheben. Die Kapern klein hacken und ebenfalls unterheben. Alles mit Pfeffer und Zitronensaft pikant würzen und abgedeckt 30 Minuten in den Kühlschrank stellen.

Inzwischen die Knoblauchzehe schälen und halbieren. Das Brot toasten oder in einer Pfanne ohne Fett rösten. Anschließend kräftig mit der Knoblauchzehe einreiben und mit dem restlichen Olivenöl beträufeln. Die Gurken waschen und in Scheiben hobeln.

Teller mit Gurkenscheiben auslegen und das Matjestartar darauf anrichten. Die halbe Schalotte mit einem Gurkenhobel in sehr feine Ringe hobeln und das Matjestatar mit Zwiebelringen, Tomaten- und Zitronenachteln garnieren. Mit dem Brot servieren.

Für 4 Portionen:

6 Matjesfilets
1 Apfel
2 hart gekochte Eier
1 Bund Radieschen
1/4 Salatgurke
1 Zwiebel
1 Bund Dill
1 Bund Petersilie
150 g saure Sahne
1 El Zitronensaft
Salz
Pfeffer
250 g kleine runde Pumpernickelscheiben
Butter zum Bestreichen
Salatblätter

Zubereitungszeit: 40 Minuten
Pro Portion: ca. 660 kcal/2759 kJ

Herzhafte Matjestaler

Die Matjesfilets abwaschen, trockentupfen und in Streifen schneiden

Den Apfel fein würfeln. Die Eier pellen und in Würfel schneiden. Die Radieschen und die Gurke putzen, waschen und in Scheiben schneiden.

Die Zwiebel schälen, in Ringe schneiden und mit den anderen Salatzutaten, außer den Gurkenscheiben, vermengen.

Die Kräuter waschen, trockenschütteln und fein hacken. Mit der Sahne, dem Zitronensaft, Salz und Pfeffer zu einer Sauce rühren. Die Salatzutaten mit der Sauce mischen und nochmals mit Salz und Pfeffer abschmecken.

Die Pumpernickeltaler mit Butter bestreichen und mit gewaschenen Salatblättern und den Gurkenscheiben belegen. Den Matjessalat darauf anrichten und servieren.

Für 4 Portionen:

3 El Salz

1 Msp. Kümmelkörner

2 Hummer à 700 g

1 Bund Petersilie

1/2 Bund Basilikum

2 El Zucker

4 El Olivenöl

3 El Zitronensaft

Pfeffer aus der Mühle

20 g Trüffeln aus dem Glas

Zubereitungszeit:
ca. 30 Minuten
Pro Portion: ca. 1068 kcal/4486 kJ

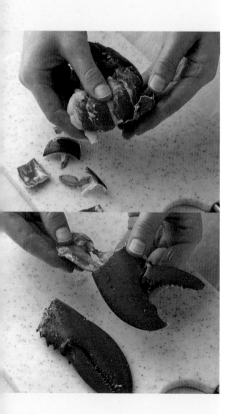

Hummer „La Dolce Vita"

2 El Salz und die Kümmelkörner in 4 l Wasser geben. Das Ganze zum Kochen bringen. Die Hummer mit den Köpfen zuerst in den Topf geben. Das Ganze bei milder Hitze ca. 15 Minuten garen.

Anschließend die Hummer herausnehmen, abtropfen und auskühlen lassen. Die Scheren durch drehende Bewegungen vom Körper trennen.

Den Kopf und den Schwanz ebenfalls durch drehende Bewegungen abtrennen. Den Bauchpanzer mit einer Schere aufschneiden, aufbrechen und das Fleisch vorsichtig herauslösen. Den Darm vom Schwanz entfernen. Den Magen und die Leber mit einem Teelöffel herausschaben.

Die Scheren mit einem Messer aufschneiden. Den unteren Scherenteil abbrechen und das Fleisch vorsichtig herauslösen. Das Fleisch warm stellen.

Die Kräuter waschen, trockenschütteln und fein hacken. Anschließend das restliche Salz und den Zucker in ca. 50 ml lauwarmem Wasser auflösen.

Das Olivenöl in eine Schüssel geben und diese in ein warmes Wasserbad stellen. Unter kräftigem Schlagen die Salz-Zucker-Lösung und den Zitronensaft langsam unterrühren. Mit Pfeffer abschmecken und die Kräuter dazugeben.

Die Trüffeln hobeln und zu dem Dressing geben. Das Ganze mit dem Hummerfleisch auf Tellern anrichten und anschließend servieren. Das Fleisch aus dem Bauch lösen. Das Fleisch aus den Scheren lösen.

Für 4 Portionen:

12 frische Austern

1 l Gemüsebrühe

1 Zwiebel

1 rote Zwiebel

1 Bund Petersilie

3 El Walnussöl

1 El bunte Pfefferkörner

200 g Tomatenpüree

Salz

Cayennepfeffer

Zucker

Dill zum Garnieren

Zubereitungszeit:
ca. 45 Minuten
Pro Portion: ca. 131 kcal/550 kJ

Austern in der Schale

Die Austern waschen und in der Gemüsebrühe ca. 5 Minuten garen. Anschließend herausnehmen und abtropfen lassen. Die Austern aufbrechen und die obere Schale jeweils entfernen.

Die Zwiebeln schälen und in Würfel schneiden. Die Petersilie waschen, trocknen und fein hacken. Das Öl in einer Pfanne erhitzen und die Zwiebeln darin andünsten.

Die Pfefferkörner und die Petersilie zu den Zwiebeln geben. Das Tomatenpüree unterrühren. Mit Salz und Pfeffer würzen.

Den Backofen auf 180 °C vorheizen. Die Austern auf eine Arbeitsplatte legen und jeweils 2 El Sauce über die Austern geben. Das Ganze im Backofen auf der mittleren Einschubleiste ca. 10 Minuten backen.

Die Austern mit der Sauce auf Tellern anrichten und mit Dill garniert servieren.

Gratinierte Miesmuscheln

Die Muscheln unter fließendem Wasser abbürsten, Bärte entfernen und die Muscheln in dem Weißwein und 1/2 l Salzwasser ca. 3 Minuten sprudelnd kochen lassen. Muscheln, die sich nicht geöffnet haben, entfernen.

Das Gemüse putzen, waschen bzw. schälen und in feine Streifen schneiden. In kochendem Salzwasser ca. 1 Minute blanchieren, in Eiswasser abschrecken und gut abtropfen lassen.

Das Gemüse auf vier gefettete Gratinformen verteilen. Die Muscheln auslösen und in jeweils einer Schalenhälfte auf das Gemüse legen.

Die restliche Butter schmelzen lassen. Die Eigelbe mit 6 El des Muschelsuds im Wasserbad cremig aufschlagen. Die Butter langsam unter Rühren dazugeben. Die Sauce mit Salz, Pfeffer und Zitronensaft würzen und vom Herd nehmen.

Die Sauce über die Muscheln gießen und das Ganze im vorgeheizten Backofen bei 220 °C auf der mittleren Einschubleiste 10–15 Minuten überbacken.

Für 4 Portionen:

1,5 kg frische Miesmuscheln
1/8 l Weißwein
Salz
125 g Staudensellerie
150 g Möhren
200 g Butter
3 Eigelb
Pfeffer aus der Mühle
2 Tl Zitronensaft
Basilikum zum Garnieren

Zubereitungszeit:
ca. 45 Minuten
Pro Portion: ca. 574 kcal/2398 kJ

Gebratene Muscheln

Papaya schälen, Kerne entfernen und Fruchtfleisch fein würfeln. Gurke schälen, entkernen und ebenfalls hacken. Tomate waschen, Stielansatz und Kerne entfernen und Fruchtfleisch hacken. Chili waschen, entkernen und fein hacken. Dabei Haushaltshandschuhe tragen, denn der Saft reizt die Haut. Knoblauchzehe schälen und zerdrücken. Muscheln auftauen, abtropfen lassen und trockentupfen. Mit Salz und Pfeffer bestreuen.

In einer Schüssel Papaya, Gurke, Tomate, Chili, Zitronensaft und Olivenöl gut mischen und etwa 15 Minuten bei Zimmertemperatur durchziehen lassen.

Margarine in einer Pfanne schmelzen und Knoblauch darin andünsten. Muscheln dazugeben und 2 bis 3 Minuten schmoren, bis sie gut erhitzt sind. Mit einem Schaumlöffel herausholen und auf Küchenpapier abtropfen lassen.

Muscheln mit der Papayasauce servieren.

Für 4 Portionen:

1/2 Papaya
1/2 Schlangengurke
1 kleine Tomate
1 kleine Chilischote
1 Knoblauchzehe
300 g vorgekochte Jakobsmuscheln (TK)
4 Tl Zitronensaft
1 Tl Olivenöl
Salz
Schwarzer Pfeffer
1 Tl Margarine

Zubereitungszeit:
ca. 30 Minuten
Pro Portion: ca. 116 kcal/485 kJ

Variation

Flusskrebse

... mit Kräuterbutter

Wasser mit Zwiebeln, Zitronensaft, Salz, Pfeffer und Kräutern aufkochen. Die Flusskrebse darin gar ziehen lassen. Die Krebse aus den Schalen lösen und in Kräuterbutter (FP) schwenken. Mit Salat, Petersilie und Spargel anrichten und servieren.

Scharfe Flusskrebse

Das Krebsfleisch waschen und gut trocknen. Die Knoblauchzehen schälen und fein hacken. Die Chilischoten zerbröseln.

Das Sesamöl mit dem Chiliöl in einer Pfanne erhitzen und den Knoblauch mit den Chilis darin ca. 3–4 Minuten braten.

Das Krebsfleisch dazugeben und ca. 1 Minute darin schwenken. Sofort servieren.

Dazu passen Bauern-, Roggen- oder Baguettebrot und ein frischer Gurken-Tomaten-Salat mit Joghurt.

Für 4 Portionen:

500 g gekochte und geschälte Flusskrebse (FP)
4 Knoblauchzehen
4 getrocknete Chilischoten
125 ml gewürztes Sesamöl
1 El Chiliöl

Zubereitungszeit:
ca. 20 Minuten
Pro Portion: ca. 426 kcal/1791 kJ

Frittierte Tintenfische

Für 4 Portionen:

1 kg küchenfertige Tintenfisch
50 g Mehl
Salz
Schwarzer Pfeffer
150 ml Olivenöl
1 Bund gehackte frische glatte
Petersilie
Saft von 1 Zitrone

Zubereitungszeit: ca. 25 Minuten
Pro Portion: ca. 398 kcal/1670 kJ

TIPP

Reichen Sie dazu Knoblauch-
mayonnaise und einen fri-
schen grünen Salat.

Den Tintenfisch gut waschen und abtupfen. Den Mantel in Ringe schneiden. Das
Mehl mit Salz und Pfeffer mischen und in eine
große Schüssel geben.

Die Tintenfischringe und Tentakel nacheinander in die Schüssel geben und gut im
Mehl wenden. Sie müssen überall damit bedeckt sein. Überschüssiges Mehl abklopfen.

Das Öl in einer großen Pfanne erhitzen, bis
es köchelt, aber nicht raucht. Die Tintenfischringe darin portionsweise etwa 2 bis 3 Minuten frittieren.

Mit einer Gabel einzeln wenden und weitere 2 Minuten ausbacken. Die fertigen Ringe
mit einem Schaumlöffel aus dem Fett holen
und auf Küchenpapier abtropfen lassen.
Warm stellen.

Anschließend die Tentakel ausbacken,
von jeder Seite etwa 1 Minute. Auf einer vor-
gewärmten Platte anrichten, mit Petersilie bestreuen und mit Zitronensaft beträufeln.

Für 4 Portionen:

4 Schalotten

4 Knoblauchzehen

2 El frisch gehackter Galgant

3 El Erdnussöl

16 frische Jakobsmuscheln

3 El fein gehackte rote Chilischoten

6 El Zitronensaft

1–2 El brauner Rohrzucker

2–3 El Fischsauce (FP)

4–5 El gehacktes Koriander-grün

Zitronenschale zum Garnieren

Zubereitungszeit:
ca. 25 Minuten
Pro Portion: ca. 281 kcal/1176 kJ

Variation

Jakobsmuscheln

... mit Orange

Jakobsmuschelfleisch in Orangenlikör marinieren. In Grillbutter (FP) braten und mit Salz und Pfeffer würzen. Orangenfilets und Ananasstücke andünsten. Alles in Muschelschalen anrichten und mit der Butter beträufeln. Gorgonzola in Stücke schneiden und darauf verteilen.

Jakobsmuscheln mit Zitrone

Die Schalotten und die Knoblauchzehen schälen und fein hacken. Zusammen mit dem Galgant im heißen Öl unter Rühren ca. 2–3 Minuten braten.

Jeweils eine Muschel in eine Schale legen und mit der Mischung bedecken. Die Muscheln ca. 6–8 Minuten dämpfen.

In der Zwischenzeit die Chilischoten, mit Zitronensaft, Zucker und Fischsauce erhitzen und so lange kochen, bis sich der Zucker aufgelöst hat.

Die Muscheln in den Schalen anrichten, mit der Sauce beträufeln und mit dem Koriandergrün und den Zitronenschalen garniert servieren.

Gebratene Muscheln
mit Spinat und Kaviar

Die Muscheln waschen und bereits geöffnete Muscheln entfernen. Die Muscheln in einen großen Topf geben.

Den Wein und 400 ml Wasser dazugießen. Zwiebel-Knoblauch-Mischung, das aufgetaute Suppengrün und die Gewürze ebenfalls dazugeben. Alles zusammen ca. 6–8 Minuten kochen lassen.

Das Ganze in ein Sieb gießen und gut abtropfen lassen. Das Muschelfleisch herauslösen. Den Spinat auftauen lassen, gut ausdrücken und grob hacken.

Die Zwiebeln schälen und würfeln. Die Butter erhitzen und die Zwiebeln mit dem Spinat darin ca. 5–6 Minuten dünsten.

Die Kräuterbutter erhitzen und die Muscheln darin ca. 4 Minuten braten. Dann zum Spinat geben und 1–2 Minuten mitbraten. Würzen und auf Teller anrichten. Mit Kaviar und Dill garniert servieren.

Für 4 Portionen:

2 kg frische Miesmuscheln

600 ml Weißwein

100 g Zwiebel-Knoblauch-Mischung (TK)

100 g Suppengrün (TK)

1/4 Tl Pimentkörner

1/4 Tl Pfefferkörner

Grobes Meersalz

300–400 g Blattspinat (TK)

2 Zwiebeln

2–3 El Butter

1 El Kräuterbutter

Salz

Pfeffer

3–4 El Forellenkaviar

Dill zum Garnieren

Zubereitungszeit:
ca. 30 Minuten
Pro Portion: ca.434 kcal/1822 kJ

Überbackene Austern

Für 4 Portionen:

16 Austern
250 g Mangold
1 Bund Frühlingszwiebeln
3 Knoblauchzehen
3 El Butter
4 El Gemüsebrühe
Salz
Pfeffer
3 Eigelb
125 ml Weißwein
250 g Butter
2 Estragonzweige
2 Kerbelzweige

Zubereitungszeit:
ca. 50 Minuten
Pro Portion: ca. 788 kcal/3311 kJ

Die Austern öffnen und das Fleisch herauslösen. Den Mangold putzen, waschen, trocknen und in feine Streifen schneiden.

Die Frühlingszwiebeln putzen, waschen, trocknen und in Röllchen schneiden. Die Knoblauchzehen schälen und fein hacken.

2 El Butter erhitzen und die Zwiebelröllchen mit dem Knoblauch darin anschwitzen. Mangold dazugeben, kurz mit anschwitzen und alles mit der Gemüsebrühe angießen. Mit Salz und Pfeffer würzen und zugedeckt ca. 5 Minuten garen.

Eine ofenfeste Form mit der restlichen Butter ausstreichen. Das Eigelb mit dem Weißwein im heißen Wasserbad schaumig schlagen. Die Butter flöckchenweise unterschlagen.

Die Kräuter waschen, trocknen und fein hacken. Unter die Sauce béarnaise geben, mit Salz und Pfeffer abschmecken. Das Gemüse in die Austernschalen füllen.

Das Austernfleisch darauf setzen und die Sauce darüber ziehen. Die Austern unter dem Grill überbacken, bis die Sauce ein braune Färbung annimmt.

Sardinenspieße

Die Sardinen waschen, mit Zitronensaft beträufeln, salzen und pfeffern und jede Sardine mit Bacon umwickeln. Anschließend Sardinen und abgetropfte Oliven im Wechsel auf Spieße stecken.

Tomaten kreuzweise einritzen, überbrühen, häuten, entkernen und in Würfel schneiden. Die Zwiebel schälen und fein würfeln. Die Paprika putzen, waschen und in Würfel schneiden.

3 El Olivenöl erhitzen und die Zwiebelwürfel darin glasig anschwitzen. Die Paprikawürfel dazugeben und kurz anbraten. Tomatenwürfel zufügen und alles ca. 10 Minuten dünsten.

Das Basilikum waschen, trockenschütteln und in feine Streifen schneiden. Unter die Tomatensauce geben und mit Salz und Pfeffer abschmecken.

Die Sardinenspieße in dem restlichen Öl von jeder Seite 3 Minuten braten. Mit der Sauce anrichten und mit Zitronenscheiben garnieren.

Für 4 Portionen:

650 g küchenfertige Sardinen

Zitronensaft

Salz

Pfeffer

100 g Bacon

75 g schwarze Oliven ohne Stein

600 g Tomaten

1 Zwiebel

1 rote Paprikaschote

4 El Olivenöl

1 Bund Basilikum

Zitronenscheiben zum Garnieren

Zubereitungszeit:
ca. 45 Minuten
Pro Portion: ca. 507 kcal/2119 kJ

Für 4 Portionen:

1 kg Hummerkrabben

4 Eier

1 Zwiebel

1 Tl Senfpulver

1 Tl Salz

1/8 l Erdnussöl

3 El Zitronensaft

1 El gehackte Kräuter

100 g entrindetes Toastbrot

1/8 l Milch

8–10 Knoblauchzehen

1/2 l Olivenöl

Salz

Pfeffer

2 El gehackter Dill

1 El Senf

Zubereitungszeit: ca. 1 Stunde
(plus Marinierzeit)
Pro Portion: ca. 184 kcal/719 kJ

Hummerkrabben mit Aioli

Die Hummerkrabben waschen, die Schale am Rücken einschneiden und den Darm entfernen. 2 Eier in ca. 8 Minuten hart kochen.

Die Zwiebel schälen, in feine Würfel schneiden und zusammen mit dem Senfpulver, dem Salz, dem Erdnussöl, dem Zitronensaft und den Kräutern zu einer Marinade rühren.

Die Hummerkrabben in die Marinade geben und ca. 2 Stunden durchziehen lassen.

Das Toastbrot zerkrümeln und zusammen mit der Milch und den beiden rohen Eiern im Mixer pürieren.

Die hart gekochten Eier pellen und in Würfel schneiden. Die Knoblauchzehen schälen und grob zerkleinern.

Die Eierwürfel und den grob gehackten Knoblauch ebenfalls in den Mixer geben und das Ganze zu einer cremigen Masse pürieren. Das Olivenöl dabei langsam dazugeben. Die Aioli mit Salz, Pfeffer, Dill und Senf abschmecken.

Die Hummerkrabben aus der Marinade nehmen, abtropfen lassen, auf die Spieße stecken und auf dem Grill 5–8 Minuten grillen. Die Hummerkrabben mit der Aioli anrichten.

Boquerones

Die Fische gut waschen, schuppen und ausnehmen. Trockentupfen.

In einer tiefen Pfanne oder einer Fritteuse das Öl erhitzen. Das Mehl auf einen Teller geben und mit Salz und Pfeffer würzen.

Die Fische im Mehl wenden, überschüssiges Mehl abschütteln. Die Fische portionsweise im heißen Öl etwa 2–3 Minuten frittieren.

Die Fische aus dem Fett heben und auf Küchenpapier abtropfen lassen. Die Zitronen heiß waschen und vierteln. Die frittierten Fische mit Zitronenvierteln servieren.

Für 4 Portionen:

1 kg gemischte kleine Fische

Sonnenblumenöl zum Frittieren

4 El Mehl

Salz

Schwarzer Pfeffer

2 Zitronen

Zubereitungszeit:
ca. 40 Minuten
Pro Portion: ca. 328 kcal/1376 kJ

TIPP

Im Sommer zur Grillzeit ideal: Legen Sie die vorbereiteten, mit Öl und Gewürzen bestrichenen Fische auf den Grill.

Tequilagarnelen mit Käsekruste

Für 4 Portionen:

16 Riesengarnelen mit Schwanz

250 g Kräuterschmelzkäse

2 El Tequila

5 El Weißwein

1 Zwiebel

2 Knoblauchzehen

Salz

Pfeffer aus der Mühle

Paprikapulver

Öl zum Frittieren

100 g Paniermehl

Kräuter zum Garnieren

Zubereitungszeit:
ca. 30 Minuten
Pro Portion: ca. 504 kcal/2116 kJ

Die Garnelen entdarmen, waschen und trockentupfen. Den Käse mit einer Gabel zerdrücken und mit dem Tequila und dem Weißwein verrühren.

Die Zwiebel schälen und in Würfel schneiden. Die Knoblauchzehen schälen und durchpressen. Das Ganze unter den Käse rühren und mit Salz, Pfeffer und Paprikapulver würzen.

Das Öl in der Fritteuse erhitzen. Das Paniermehl auf einen Teller geben. Die Garnelen darin wenden, die Panade andrücken und anschließend die panierten Garnelen durch die Käsemasse ziehen.

Die Garnelen in dem heißen Öl goldbraun ausbacken. Das Ganze mit Kräutern garniert auf Tellern anrichten. Dazu passen Nachos mit einer Joghurtsauce.

Für 4 Portionen:

800 g Jakobsmuschelfleisch
(TK, aufgetaut)
2 rote Chilischoten
2 Zwiebeln
1/8 l Milch
125 g Mehl
1 Spritzer Tabasco
Salz
Pfeffer aus der Mühle
Chilipulver
1/2 Bund Petersilie
Öl zum Frittieren
120 ml Chilisauce
Limettenscheiben und
Kräuter zum Garnieren

Zubereitungszeit:
ca. 20 Minuten
Pro Portion: ca. 475 kcal/1997 kJ

Frittierte Jakobsmuscheln mit pikanter Salsa

Das Jakobsmuschelfleisch waschen und trockentupfen. Die Chilischoten waschen, längs halbieren, entkernen und fein hacken. Die Zwiebeln schälen und ebenfalls fein hacken.

Die Milch mit dem Mehl und dem Tabasco mischen. Die Zwiebeln und die Chilischoten unterrühren. Mit Salz, Pfeffer und Chilipulver abschmecken.

Die Petersilie waschen, trocknen, fein hacken und ebenfalls unter den Teig rühren. Das Öl in einer Fritteuse erhitzen.

Das Jakobsmuschelfleisch in dem Teig wenden. Im Frittierfett portionsweise goldgelb backen.

Die frittierten Jakobsmuscheln mit der Chilisauce auf Tellern anrichten und mit Kräutern und Limettenscheiben garniert servieren.

Variation
Frittierte Tintenfische

... mit Tomatensauce
Anstelle der Muscheln Tintenfischringe durch den Teig ziehen und in heißem Fett goldbraun ausbacken.

Für 4 Portionen:

250 g Krebsfleisch

1 Zwiebel

100 g Staudensellerie

1 Ei

Salz

Pfeffer

Zitronensaft

2 El Steaksauce

2 El Öl

1/2 Tl Senf

40 g saure Sahne

Zitronenpfeffer

1 El Tannenhonig

Zitronenblätter zum Garnieren

Zubereitungszeit:
ca. 20 Minuten
Pro Portion: ca. 431 kcal/1812 kJ

Paradies-Küchlein

Das Krebsfleisch mit einem scharfen Messer klein hacken. Die Zwiebel schälen und in Würfel schneiden.

Staudensellerie putzen, waschen und ebenfalls klein hacken. Das Ei in einer Schüssel verrühren und mit Salz und Pfeffer würzen.

Das Krebsfleisch mit Zwiebelwürfeln und Sellerie zum Ei geben und alles miteinander vermengen. Mit Salz, Pfeffer, Zitronensaft und Steaksauce würzen.

Das Öl in einer Pfanne erhitzen und aus der Masse kleine Küchlein backen. Anschließend auf etwas Küchenpapier abtropfen lassen.

Den Senf mit der sauren Sahne, etwas Zitronenpfeffer und dem Honig in einer Schüssel verrühren und mit Salz und Pfeffer abschmecken. Die Küchlein mit dem Dip auf Tellern anrichten und servieren.

Seeteufel-Tartelettes

Den Fisch waschen, trocknen, in Würfel schneiden und mit Zitronensaft beträufeln.

Die Auberginen putzen, waschen und in kleine Würfel schneiden. Die Knoblauchzehen schälen und fein hacken. Den Kürbis in einem Sieb abtropfen lassen und klein schneiden.

Das Öl in einer Pfanne erhitzen und den Fisch darin andünsten. Auberginen, Knoblauch und Kürbis dazugeben und alles mit Sherry aromatisieren.

Die Kräuter dazugeben und alles mit Salz, Pfeffer, Piment- und Paprikapulver würzen.

Das Ganze bei milder Hitze ca. 6 Minuten ziehen lassen. Die Tartlettes in einem Backofen aufbacken und die Masse einfüllen. Das Ganze lauwarm servieren.

Für 4 Portionen:

800 g Seeteufelfilet

2 El Zitronensaft

2 Auberginen

4 Knoblauchzehen

200 g Kürbis aus dem Glas

4 El Olivenöl

4 El Sherry

2 El gehackte Petersilie

1 El gehackter Thymian

Salz

Pfeffer

Piment- und Paprikapulver

16 salzige Mini-Tartelettes (FP)

Zubereitungszeit:
ca. 45 Minuten
Pro Portion: ca.502 kcal/2110 kJ

TIPP:

Wer möchte, kann das Ganze noch mit etwas geriebenem Emmentaler überbacken.

Lachsfarce in Weinlaub

Für 4 Portionen:

36 eingelegte Weinblätter

300 g geräucherter Lachs

1 rote Chilischote

3 El Sahnemeerrettich

2 El Currypulver

600 g Frischkäse

Zitronenpfeffer

300 g Heringsfilets in Paprika-
sauce

3 El bunte eingelegte Paprika

1 grüne Chilischote

Salz

Paprikapulver

Zubereitungszeit:
ca. 35 Minuten
(plus Kühlzeit)
Pro Portion: ca. 732 kcal/3076 kJ

Die Weinblätter gut abspülen und kurz in Eiswasser legen. Anschließend auf einer Arbeitsfläche ausbreiten und die Stängelansätze entfernen. Den Lachs fein hacken.

Die rote Chilischote waschen, längs halbieren, entkernen und in Würfel schneiden. Anschließend mit Lachs, Sahnemeerrettich, Currypulver und 300 g Frischkäse verrühren. Mit Zitronenpfeffer abschmecken.

Das Heringsfilet klein hacken. Die eingelegten Paprika in einem Sieb abtropfen lassen und klein schneiden.

Die grüne Chilischote waschen, längs halbieren, entkernen und in Würfel schneiden. Heringsfilet, Paprika und Chilischote mit dem restlichen Frischkäse verrühren. Mit Salz und Paprikapulver abschmecken.

Eine Hälfte der Weinblätter mit der Lachs-Käse-Masse und die andere Hälfte mit der Herings-Käse-Mischung bestreichen.

Die Seiten einklappen und die Blätter aufrollen. Alles ca. 1 Stunde kühlen und servieren.

Krabbenschnitten Thailand

Für 4 Portionen:

250 g ausgelöste, gekochte Krabben

2 Zwiebeln

2 Knoblauchzehen

Salz

Pfeffer

1 Tl Ingwer

1 Tl Limonensaft

2 Eier

5 Scheiben Weißbrot ohne Rinde

Öl zum Braten

4 große Orangen

Vorbereitungszeit: 15 Min.
Zubereitungszeit: 20 Min.
Pro Portion: ca. 326 kcal/1371 kJ

Die Krabben waschen, trockenschleudern und fein hacken.

Die Zwiebeln und die Knoblauchzehen schälen und in feine Würfel schneiden. Zu dem Krabbenfleisch geben.

Das Ganze mit Salz, Pfeffer, Ingwerpulver und Limonensaft abschmecken.

Die Eier dazugeben und gut verkneten. Die Masse auf die Brotscheiben streichen.

Die Brotscheiben nun in mundgerechte Stücke schneiden. Das Öl erhitzen und die Krabbenschnitten mit der „Fleischseite" nach unten hinein geben. Braun braten und anschließend umdrehen, so dass die Brotseite gebräunt werden kann.

Die Orangen schälen, filetieren und die einzelnen Filets vom Rücken her einschneiden, ohne sie ganz zu zerteilen.

Die Orangenfilets auseinander klappen und die Krabbenschnitten darauf anrichten.

Für 4 Portionen:

6 Knoblauchzehen

1 Bund Koriandergrün

4 El Fischsauce (FP)

4 El Chilisauce (FP)

Pfeffer

20 ungeschälte, rohe Riesengarnelen ohne Kopf

Zubereitungszeit:
ca. 20 Minuten
506 kcal/2128 kJ

Chilisauce

Chilisauce ist eine scharf-
pikante Sauce, die in Asien
gerne zu Fleisch- und Fischgerichten gereicht wird. Sie
eignet sich aber auch sehr
gut zum Verfeinern von
Speisen.

Gedämpfte Garnelen

Die Knoblauchzehen schälen und fein hacken. Das Koriandergrün waschen, trocknen und ebenfalls fein hacken. Beides mit der Fischsauce und der
Chilisauce verrühren und mit Pfeffer würzen.

Die Garnelen waschen, trocknen und auf Teller verteilen. Die Teller in
den Dämpfeinsatz des Woks stellen.

Die Hälfte der Marinade darüber geben und die Garnelen darin ca. 8 Minuten dämpfen. Herausnehmen und die Garnelen mit der restlichen Marinade anrichten und servieren.

Für 4 Portionen:

3 1/2 Blatt Gelatine

100 g weißer Spargel

100 g grüner Spargel

Salz

50 g Erbsen (TK)

1 El Butter

200 g Krebsfleisch

200 ml Fischfond

6 El Weißwein

3 El Zitronensaft

Pfeffer aus der Mühle

frisch geriebene Muskatnuss

einige Blättchen Basilikum

100 g Crème fraîche

2 El saure Sahne

abgeriebene Schale
1/2 Zitrone

Zubereitungszeit:
ca. 50 Minuten
(plus Kühlzeit)
Pro Portion: ca. 223 kcal/938 kJ

Krebs-Zitronen-Gelee

Die Gelatine in kaltem Wasser einweichen. Den Spargel schälen und die holzigen Enden abschneiden. Spargelstangen in 2–3 cm lange Stücke schneiden.

Etwa 1 l leicht gesalzenes Wasser in einem Topf zum Kochen bringen. Den weißen und den grünen Spargel darin nacheinander jeweils 5 Minuten garen. Mit einem Schaumlöffel herausnehmen und mit kaltem Wasser abbrausen.

Die Erbsen nach Packungsanweisung auftauen lassen. Die Butter in einer Pfanne erhitzen und das Krebsfleisch darin bei milder Hitze ca. 5 Minuten braten.

Fischfond, 5 El Weißwein und Zitronensaft kurz aufkochen. Die Gelatine ausdrücken und im dem Fond auflösen. Mit Salz, Pfeffer und Muskat kräftig abschmecken.

Mit kaltem Wasser 4 Tassen ausspülen und die Basilikumblätter und die Erbsen darin verteilen. Nacheinander Spargel und Krebsfleisch darauf verteilen und zum Schluss den warmen Sud darüber gießen. Das Ganze ca. 2 Stunden kalt stellen.

Die Crème fraîche mit der sauren Sahne, dem Weißwein und der Zitronenschale verrühren. Mit Salz und Pfeffer würzen.

Das Gelee mit einem spitzen Messer vom Rand lösen, die Tassen kurz in heißes Wasser tauchen und das Gelee auf Teller stürzen. Crème-fraîche-Sauce dazu reichen.

Tatar vom Lachs

Das Fischfilet waschen, trockentupfen und in feine Würfel schneiden.

Die Gurken abtropfen lassen und fein hacken. Die Zwiebeln schälen und ebenfalls fein hacken.

Die Kräuter waschen, trockenschütteln und fein hacken.

Das Fischfleisch mit den Gurken, Zwiebeln und Kräutern mischen und mit Salz und Pfeffer abschmecken.

Die Limonen heiß abwaschen, abtrocknen und in Scheiben schneiden. Die Brote mit Butter bestreichen.

Das Lachstatar auf dem Schwarzbrot anrichten und mit den Limonenscheiben garniert servieren.

Für 4 Portionen:

500 g Lachsfilet
200 g Senfgurken
2 rote Zwiebeln
1/2 Bund Dill
1/2 Bund Estragon
1/2 Bund Kerbel
Salz
Pfeffer
2 Limonen
4 Scheiben Schwarzbrot
Butter zum Bestreichen

Zubereitungszeit: 25 Minuten
Pro Portion: ca. 449 kcal/1876 kJ

Heringe in Aspik

Die Gelatine in kaltem Wasser einweichen.

Die Bismarckheringe gut abtropfen lassen.

Das Gemüse putzen, waschen, bzw. schälen und in Streifen bzw. Ringe schneiden.

Anschließend in kochendem Salzwasser ca. 1 Minute blanchieren. Herausnehmen und gut abtropfen lassen.

Den Wein mit der Fischbrühe zum Kochen bringen und die ausgedrückte Gelatine darin auflösen. Etwas von der Flüssigkeit in eine Form gießen und im Kühlschrank erstarren lassen.

Anschließend lagenweise das Gemüse und die Heringe in die Form geben. Mit restlicher Flüssigkeit begießen.

Den Aspik im Kühlschrank vollständig fest werden lassen. Zum Servieren in Scheiben schneiden und mit Dill garnieren.

Für 4 Portionen:

12 Blatt Gelatine
4 Bismarckheringe
1 Möhre
1 Stange Staudensellerie
1/2 Stange Porree
1 Zwiebel
Salz
1/4 l Weißwein
3/4 l Fischbrühe (FP)
Dill zum Garnieren

Zubereitungszeit: 35 Minuten
Pro Portion: ca. 388 kcal/1620 kJ

Für 4 Portionen:

12 große Champignons
250 ml Gemüsebrühe
100 g schwarze Oliven
200 g Mais
1 rote Paprikaschote
1 Bund Petersilie
3 El Olivenöl
Salz
Pfeffer
Knoblauch- und
Zwiebelpulver
Kräuter zum Garnieren

Zubereitungszeit:
ca. 30 Minuten
Pro Portion: ca. 311 kcal/1307 kJ

Gefüllte Riesen-Champignons

Die Champignons putzen und die Stiele vorsichtig herausschneiden. Anschließend die Köpfe in der erhitzten Brühe ca. 5 Minuten ziehen lassen.

Inzwischen die Oliven abtropfen lassen und in Würfel schneiden.

Den Mais in einem Sieb abtropfen lassen. Die Paprikaschote putzen, waschen, halbieren, entkernen und in feine Würfel schneiden.

Die Petersilie waschen, trocknen und fein hacken. Das Öl in einer Pfanne erhitzen und das Gemüse darin andünsten.

Die Petersilie dazugeben und alles mit Salz, Pfeffer, Knoblauch- und Zwiebelpulver abschmecken.

Die Pilze aus der Gemüsebrühe nehmen, abtropfen lassen und das Gemüse einfüllen. Mit Kräutern garniert servieren.

Für 4 Portionen:

2–3 feste Köpfe Radicchio

4 Zucchini

6 El Olivenöl

Salz

Frisch gemahlener schwarzer Pfeffer

Zubereitungszeit:
ca. 15 Minuten
(plus Kochzeit)
Pro Portion: ca. 191 kcal/801 kJ

TIPP:

Gegrilltes Gemüse schmeckt als Snack ebenso wie als Beilage zu gegrilltem Fisch oder Fleisch.

Gegrillte Zucchini mit Radicchio

Den Backofengrill auf höchster Stufe vorheizen. Den Radicchio waschen, trockenschleudern und die Köpfe vierteln.

Die Zucchini putzen, waschen, trocknen und in schräge ca. 2 cm dicke Scheiben schneiden.

Gemüse und Salat auf den Grillrost legen und mit Olivenöl beträufeln. Mit Salz und Pfeffer würzen. Anschließend unter dem Grill ca. 3–4 Minuten von jeder Seite grillen.

Gefüllte Zucchiniblüten

Für 4–5 Portionen

8–10 Zucchiniblüten
80 g Langkornreis
1 Zwiebel
1/2 Bund Dill
1/2 Bund Minze
8 El Tomatenmark
2 El Olivenöl
Salz
Schwarzer Pfeffer

Zubereitungszeit: ca. 1 Stunde
Pro Portion: ca. 148 kcal/620 kJ

TIPP

Statt der Zucchiniblüten können Sie auch Kürbisblüten verwenden und diese mit frisch geriebenem Käse bestreuen und im Ofen überbacken.

Die Staubgefäße aus den Zucchiniblüten schneiden. Die Kelche abzupfen und die Blüten vorsichtig waschen.

Den Reis waschen, abtropfen lassen. Zwiebel schälen und fein hacken. Die Kräuter waschen, trockenschütteln und fein hacken.

Reis, Zwiebel, Kräuter, Tomatenmark und Olivenöl mischen und mit Salz und Pfeffer abschmecken.

In jede Zucchiniblüte etwa 1 Teelöffel der Füllung geben. Die Blütenränder verschließen.

Die gefüllten Blüten dicht nebeneinander in einen Topf legen. Wasser dazugeben, so dass die Blüten knapp damit bedeckt sind. Die Blüten bei mittlerer Temperatur etwa 40 Minuten garen. Eventuell Wasser nachfüllen.

Variationen

Gefüllte Zucchini

... mit Salami

Die Zucchini waschen und in Portionsstücke schneiden. Etwas aushöhlen. Das Innere mit Zitronensaft beträufeln und mit Salamischeiben auslegen. Kräuterremoulade mit eingelegten Kürbisstücken (FP) mischen und in die Zucchini füllen. Mit Limetten und gefüllten Oliven garnieren.

... mit Datteln

Die Zucchini waschen und in Portionsstücke schneiden. Etwas aushöhlen. Das Innere mit Zitronensaft beträufeln. Roquefort mit etwas Cognac zerdrücken und die Käsemasse in die Zucchini füllen. Datteln in Cognac marinieren, etwas abtropfen lassen und auf den Roquefort setzen.

Für 4 Portionen:

4 kleine Bischofsmützen-Kürbisse

Olivenöl

300 ml Sahne

100 g frisch geriebener Cheddar

1 milde Peperoni

1 Knoblauchzehe

1 Prise Muskat

Salz

Frisch gemahlener, schwarzer Pfeffer

Gemischte Kräuter zum Garnieren

Zubereitungszeit:
ca. 20 Minuten
(plus Backzeit)
ca. 360 kcal/1512 kJ

TIPP:

Dieses Rezept können Sie nach Belieben auch mit anderen Kübissorten zubereiten.

Überbackene Bischofsmützen

Backofen auf 200 °C (Umluft 180 °C) vorheizen. Die Kürbisse putzen, waschen und trockenreiben. Kürbisse halbieren und entkernen. Das Fruchtfleisch mit einem Messer einritzen. Das Olivenöl darüber träufeln.

Die Kräuter waschen, trockenschütteln und beiseite stellen. Die Peperoni klein schneiden, die Knoblauchzehe schälen und zerdrücken. Die Sahne mit den restlichen Zutaten verrühren und in die ausgehöhlten Kürbisse füllen. Kürbisse auf ein Backblech setzen und im Backofen ca. 30 Minuten überbacken, bis die Käsecreme bräunt.

Die Bischofsmützen aus dem Backofen nehmen und mit den Kräutern garniert sofort servieren.

Kürbisröllchen

Den Backofen auf 200 °C (Umluft 180 °C) vorheizen.

Den Kürbis waschen, schälen und trocknen, Kerne und Innenfasern entfernen und das Fleisch in dünne Scheiben schneiden. Die Scheiben mit etwas Olivenöl bestreichen und im Backofen ca. 20 Minuten garen.

Kürbisscheiben aus dem Ofen nehmen. Abkühlen lassen. Mit Frischkäse bestreichen, zu Röllchen wickeln und mit Zahnstochern fixieren.

Für 4 Portionen:

1 kleiner Butternut-Kürbis
Olivenöl
150 g Frischkäse mit Kräutern

TIPP:

Sie können auch andere Aufstriche ausprobieren, zum Beispiel Kichererbsenmus oder Tomaten.

Dazu passen

Gefüllte Tomaten

... mit Ziegenkäse

Die Tomate waschen, einen Deckel abschneiden und aushöhlen. Mit Salz, Pfeffer und Paprika würzen. Ziegenkäse mit Sahne, Rosmarin und Zwiebelwürfeln verrühren. Die Tomate mit Räucherlachsstreifen auslegen und mit der Käsemasse füllen.

... mit Gurke

Die Tomate waschen, einen Deckel abschneiden, aushöhlen und mit Salz, Pfeffer und Zwiebelpulver bestreuen. Salatgurke raspeln und würzen. Das Ganze in die Tomaten füllen. Spargelköpfe und Salatgurke dazugeben und mit gefüllten Oliven, Ketchup und Mayonnaise garniert servieren.

Feine Gemüse-Ei-Sülze

Für 4 Portionen:

8 Blatt weiße Gelatine

375 ml Gemüsebrühe

100 g Erbsen (TK)

100 g Radieschen

100 g Perlzwiebeln
aus dem Glas

100 g Rote-Bete-Scheiben
aus dem Glas

1 Bund Petersilie

150 g Gouda

8 hart gekochte Wachteleier
aus dem Glas

Salz

Kräuter zum Garnieren

Zubereitungszeit: ca. 45 Minuten
(plus Zeit zum Festwerden)
Pro Portion: ca. 271 kcal/1141 kJ

Die Gelatine in kaltem Wasser einweichen. Die Brühe erhitzen und die ausgedrückte Gelatine darin auflösen. Eine Terrinenform kalt ausspülen und mit Folie auslegen.

Einen Gelee-Spiegel eingießen und erkalten lassen. Die Erbsen auftauen lassen. Die Radieschen putzen, waschen und in Scheiben schneiden. Die Zwiebeln und die Rote Bete in einem Sieb abtropfen lassen. Die Petersilie waschen, trocknen und fein hacken.

Den Käse in Würfel schneiden. Die Eier abtropfen lassen und in Scheiben schneiden. Die Erbsen und die Radieschen getrennt voneinander in etwas Salzwasser ca. 5 Minuten blanchieren. Anschließend abtropfen lassen. Ein Drittel der gesamten Zutaten auf den Geleespiegel geben und mit weiterer Brühe abdecken. Erkalten lassen und mit den restlichen Zutaten ebenso verfahren.

Das Ganze dann im Kühlschrank ca. 3 Stunden fest werden lassen. Anschließend aus der Form stürzen, in Scheiben schneiden und mit Kräutern garniert servieren.

Morchel-Pasteten

Für 4 Portionen:

250 g Morcheln

1 Zwiebel

100 g geräucherter Speck

4 Blätterteigpasteten (FP)

1 El Öl

Salz

Pfeffer aud der Mühle

80 g süße Sahne

2 Eigelb

Kräuter und Salatblätter zum Garnieren

1 Zitrone, in Scheiben geschnitten

Zubereitungszeit:
ca. 20 Minuten
Pro Portion ca.: 2310 kJ/550 kcal

Die Morcheln putzen, gründlich waschen und in Stücke schneiden. Die Zwiebel schälen und fein hacken. Anschließend den geräucherten Speck in kleine Würfel schneiden.

Die Pasteten im Backofen bei 100 °C erwärmen. Das Öl in einer Pfanne erhitzen und den Speck darin auslassen. Die Zwiebeln dazugeben und andünsten.

Die Morcheln dazugeben und ca. 5 Minuten garen. Mit Salz und Pfeffer würzen.

Die Sahne mit dem Eigelb verquirlen und unter die Pilze rühren. Die Masse in die Pasteten füllen, mit Kräutern garnieren und die Deckel darauf setzen.

Die gefüllten Pasteten mit den Salatblättern und Zitroonenscheiben auf Tellern anrichten.

Für 4 Portionen:

50 g getrocknete Morcheln

300 g eingelegte schwarze Oliven

4 Knoblauchzehen

6 El Olivenöl

75 ml Sherry

1 kleine getrocknete Chilischote

1 Bund glatte Petersilie

1 El Tomatenmark

Zubereitungszeit:
ca. 20 Minuten
Pro Portion: ca.746 kJ/177 kcal

Morchel-Oliven-Pfännchen

Die Morcheln abspülen und ca. 1 1/2–2 Stunden in Wasser einweichen.

Die Oliven in ein Sieb gießen, abtropfen lassen und entsteinen. Die Knoblauchzehen schälen und in Scheiben schneiden. Die Morcheln abgießen, die Flüssigkeit dabei auffangen und die Pilze gut abtropfen lassen.

Das Öl in einer Pfanne erhitzen, die Morcheln und den Knoblauch darin andünsten. Die Oliven dazugeben. Das Ganze unter Wenden ca. 2 Minuten braten.

Mit Sherry und 75 ml Einweichflüssigkeit ablöschen. Die Chilischote dazugeben. Alles ca. 5 Minuten erhitzen und dabei die Flüssigkeit verdampfen lassen.

Die Petersilie waschen, trockenschütteln, grob hacken und zu den Morcheln geben. Zum Schluss das Tomatenmark unterrühren und die Chilischote herausnehmen. Dazu passt Mischbrot.

Artischocken in Olivenöl

Für 4 Portionen:

12 kleine frische Artischocken
oder 6 große
6 Frühlingszwiebeln
125 ml Olivenöl
Saft von 1/2 Zitrone
1 Bund gehackter frischer Dill
Salz
Zitronenachtel zum
Garnieren

Zubereitungszeit:
ca. 15 Minuten
(plus Kochzeit)
Pro Portion: ca. 1410 kcal/353 kJ

TIPP

Artischocken sind reich an Vitaminen und Mineralien. Deshalb sollten Sie sie möglichst oft auf den Tisch bringen.

Die Artischocken putzen und waschen, die Frühlingszwiebeln putzen, waschen und in große Stücke schneiden.

Artischocken und Zwiebeln mit 60 ml Öl, Zitronensaft und 60 ml Wasser in einen Topf geben und zugedeckt etwa 40 Minuten köcheln.

Nach Ablauf der Kochzeit die Artischocken abtropfen lassen und die äußeren Blätter und das Heu im Innern entfernen. Den Stiel kürzen und von holzigen fasrigen Teilen befreien, so dass nur die Artischockenherzen und ein Teil des Stiels übrig bleiben.

Artischocken zurück in den Topf mit der Kochflüssigkeit geben, salzen und mit etwas Dill verfeinern, das restliche Öl dazugießen. Die Artischocken weitere 15 bis 20 Minuten köcheln, bis sie gar sind. Herausheben und abkühlen lassen.

Artischockenherzen mit Stiel, Frühlingszwiebeln und Zitronenachteln zum Beträufeln servieren. Mit restlichem Dill garnieren.

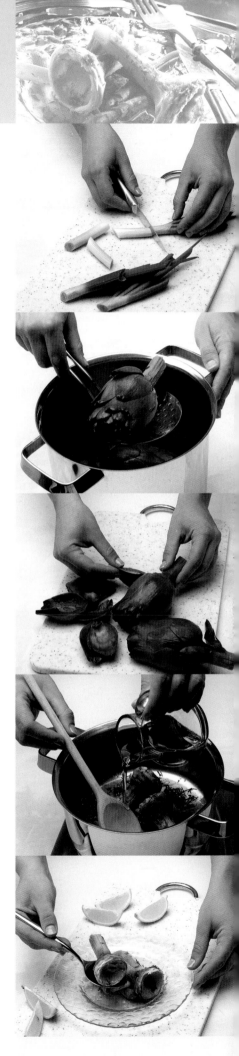

Für 6 Portionen:

1 kg Auberginen
(ca. 6 Stück)

Salz

200 ml Öl

150 g Spitzpaprika

400 g Zwiebeln

400 g Tomaten

3 Knoblauchzehen

1 Bund gehackte frische
Petersilie

1 El Zucker

Frisch gemahlener Pfeffer

Zubereitungszeit:
ca. 40 Minuten
(plus Backzeit)
Pro Portion: ca. 545 kcal/2289 kJ

TIPP

Probieren Sie dieses Gericht
einmal, ohne die Aubergi-
nen vorher zu braten. Sie
werden nur in Salzwasser
eingelegt und anschließend
ausgedrückt.

Auberginen mit Zwiebeln und Tomaten

Die Auberginen putzen, waschen, trocknen und streifig schälen. Mit einem Messer längs einritzen und mit der Messerspitze mehrmals einstechen.
Auberginen in eine Schüssel legen, mit Salz bestreuen, mit Wasser beträufeln
und 15 Minuten ziehen lassen.

Auberginen abwaschen und die Flüssigkeit herausdrücken.

150 ml Öl in einer Pfanne erhitzen und die Auberginen darin von allen Seiten etwa 5–7 Minuten braten. Herausnehmen und mit einem Löffel eine Mulde in die Auberginen drücken.

Zwiebeln und Knoblauchzehen schälen und hacken. Spitzpaprika putzen,
waschen und klein schneiden. Die Tomaten waschen, vom Stielansatz befreien
und das Fruchtfleisch der Hälfte der Tomaten in Stücke schneiden. Die andere Hälfte der Tomaten in Achtel schneiden.

Backofen auf 160 °C (Umluft 140 °C) vorheizen. Zwiebeln und Knoblauch
im erhitzten Öl dünsten.

Tomatenwürfel, Paprika, Petersilie, Zucker, Pfeffer und Salz dazugeben,
mitschmoren. Etwa 200 ml Wasser zugeben und die Mischung weitere 10 Minuten köcheln. Abgießen, Flüssigkeit auffangen.

Die Auberginen mit dem Gemüse füllen und mit den Tomatenachteln bedecken. In eine Auflaufform legen. Kochflüssigkeit und ca. 200 ml Wasser in
die Form füllen und alles mit Folie abdecken. Im Ofen etwa 30 Minuten garen. Auberginen abkühlen lassen. Garsud mit Salz und Pfeffer abschmecken
und Auberginen damit beträufeln.

Für 4 Portionen:

700 g Hokkaido-Kürbis

Salz

Frisch gemahlener Pfeffer

Olivenöl

2 Knoblauchzehen

1 rote Chili

40 g Pistazien

4 El Frischkäse

Zubereitungszeit:
ca. 20 Minuten
(plus Back- und Kühlzeit)
Pro Portion: ca. 152 kcal/637 kJ

Produktinformation

In 100 g Kürbisfruchtfleisch sind durchschnittlich enthalten:

4 mg Karotinoide
(Vorstufe des Vitamin A)

12 mg Vitamin C

1 mg Vitamin E

385 mg Kalium

25 mg Kalzium

8 mg Magnesium

0,9 mg Eisen

Außerdem die Vitamine
B1–B6, Folsäure, Kupfer
und Phosphor

Kürbiscreme mit Pistazien

Den Backofen auf 220 °C (Umluft 200 °C) vorheizen. Den Kürbis putzen, waschen und trockenreiben. Halbieren, Kerne und weiße Innenfasern entfernen und das Kürbisfleisch in Würfel schneiden. Die Würfel in eine Auflaufform legen, salzen, pfeffern und mit Olivenöl überziehen. Im Backofen ca. 40 Minuten backen.

Inzwischen den Knoblauch schälen und zerdrücken. Die Chili putzen, waschen, entkernen und fein hacken. Die Pistazien fein hacken. Den Kürbis abkühlen lassen und mit der Schale durch die Kartoffelpresse drücken.

Kürbismus mit Frischkäse, Knoblauch und Chili mischen und anschließend die Pistazien unterrühren. Die Creme ca. 30 Minuten an einem kühlen Ort durchziehen lassen.

Als Appetizer zu frischem Baguette oder Toast reichen.

Kichererbsencreme

Die Kichererbsen über Nacht in Wasser einweichen.

Am nächsten Tag die Kichererbsen in einen Topf geben, mit Wasser bedecken und ca. 40 Minuten kochen. Anschließend die Häutchen abziehen und die Kichererbsen mit dem Pürierstab pürieren.

Die Knoblauchzehen schälen und zerdrücken. Das Kichererbsenpüree mit Zitronensaft, Knoblauch, Kümmel, Sesampaste und etwas Salz mischen und alles zu einer glatten Creme verrühren.

Die Kichererbsencreme (Hummus) in einer Schüssel anrichten. Olivenöl und Paprikapulver verrühren und über die Creme träufeln. Mit Petersilie garniert servieren.

Für 8 Portionen:

300 g getrocknete Kichererbsen

2–3 Knoblauchzehen

200 g Tahin (Sesampaste)

Saft von 1 Zitrone

1 Tl gemahlener Kümmel

Salz

100 ml Olivenöl

1 Tl Paprikapulver

1/2 Bund gehackte frische Petersilie

Zubereitungszeit:
ca. 30 Minuten
(plus Einweich- und Garzeit)
Pro Portion: ca. 770 kcal/3234 kJ

Für 4 Portionen:

200 g Tofu (Sojaquark)

Je 1 kleine rote und gelbe Paprikaschote

120 g kleine Steinpilz-champignons

1 kleine Zucchini

Saft und abgeriebene Schale von 1 unbehandelten Zitrone

3 El Olivenöl

3 El frisch gehackte Petersilie

1/2 Tl Zucker

Salz

Pfeffer

Holzspieße

Zubereitungszeit:
ca. 30 Minuten
(plus Marinier- und Grillzeit)
Pro Portion: ca. 140 kcal/586 kJ

Variation

Bacon, Zucchini, Stauden-sellerie und Radieschen ab-wechselnd auf einen Spieß stecken. In Röstzwiebelbut-ter von allen Seiten braten.

Zucchini-Spieße mit Tofu

Tofu würfeln. Paprika putzen, waschen, entkernen und in kleine Stücke schneiden. Champignons feucht abreiben. Zucchini putzen, waschen und in ca. 1 cm dicke Scheiben schneiden.

Tofu, Pilze und Gemüse abwechselnd auf Holzspieße stecken.

Zitronenschale, -saft, Olivenöl, Petersilie und Zucker mischen und mit Salz und Pfeffer abschmecken. Die Spieße mit der Marinade bestreichen und 10 Minuten ziehen lassen.

Inzwischen den Grill vorheizen. Die Spieße darunter legen und gold-braun rösten. Regelmäßig wenden und mit der Zitronenmarinade bestreichen.

Die Spieße auf Teller anrichten und sofort servieren.

106

Für 4 Portionen:

1 Knoblauchzehe

3 El Olivenöl

1 El gehackte Rosmarin-
nadeln

1 El Aceto Balsamico

Salz

Frisch gemahlener Pfeffer

300 g Kürbisfleisch

6 Scheiben Parmaschinken

12 Cherrytomaten

2 El frisch geriebener
Parmesan

Zubereitungszeit:
ca. 35 Minuten
(plus Marinier- und Grillzeit)
Pro Portion: ca. 92 kcal/386 kJ

Variation

Rote Zwiebeln, Ge-
würzgurken und To-
maten auf Spieße
stecken und von al-
len Seiten braten.
Mit Meerrettich be-
streichen.

Kürbis-Tomaten-Spieße

Knoblauch schälen und zerdrücken. Mit Öl, Rosmarin und Aceto zu einer Marinade verrühren und mit Salz und Pfeffer würzen.

Den Kürbis schälen und in 16 gleich große Würfel schneiden. Kürbiswürfel in der Marinade ca. 30 Minuten ziehen lassen. Inzwischen den Grill auf
höchster Stufe vorheizen.

Schinkenscheiben halbieren und jede Hälfte zusammenrollen. Tomaten waschen und trocknen. Kürbisstücke aus der Marinade nehmen. Kürbis,
Tomaten und Schinkenröllchen abwechselnd auf vier Holzspieße stecken und
ca 8–10 Minuten grillen. Zwischendurch mit Marinade bestreichen.

Die heißen Spieße mit Parmesan bestreuen und servieren. Dazu schmecken grüner Salat und frisches Baguette.

Für 4 Portionen:

2 Avocados

Zitronensaft

150 g Tofu

Salz

Pfeffer

200 g geräucherte Puten-
brust

100 g Radieschen- oder
Alfalfasprossen

1 rote Paprikaschote

2 El Olivenöl

2 El Sojasauce

Zubereitungszeit:
ca. 20 Minuten
Pro Portion: ca. 358 kcal/1498 kJ

Variation
Spieße

... mit Avocado

Avocado mit Zitronensaft
beträufeln. Mit Zwiebeln
und Tomaten auf Spieße
stecken und von allen
Seiten braten. Würzen.

Gefüllte Avocados

Die Avocados halbieren, den Kern entfernen und das Fruchtfleisch bis auf einen Rand aushöhlen. Mit Zitronensaft beträufeln.

Das Fruchtfleisch klein schneiden. Den Tofu in Würfel schneiden und mit Salz und Pfeffer würzen.

Die Putenbrust ebenfalls in feine Würfel schneiden. Die Sprossen heiß abwaschen und anschließend trocknen.

Die Paprikaschoten putzen, längs halbieren, entkernen und in Würfel schneiden.

Avocado-Fruchtfleisch, Tofu, Putenbrust, Sprossen und Paprikawürfel in eine Schüssel geben und mischen.

Das Öl erhitzen und alles darin andünsten. Anschließend mit der Sojasauce würzen. Die Masse portionsweise in die Avocadohälften füllen und servieren.

Gebackene Zucchini

Backofen auf 200 °C (Umluft 180 °C) vorheizen. Zucchini putzen, waschen und trocknen. Die Zucchini in 4 cm breite Scheiben schneiden und die Schnittflächen mit Zitronensaft beträufeln.

Die Knoblauchzehen schälen, hacken oder pressen, mit Salz mischen und mit einem Messerrücken zu einer Paste zerdrücken.

Die Knoblauchpaste auf die Zucchinistücke streichen und mit Salz und Pfeffer würzen.

Zucchini auf ein Backblech legen, mit Olivenöl beträufeln und im Ofen ca. 20 Minuten garen. Das Fruchtfleisch sollte weich sein.

Die Zucchinistücke anrichten und mit Dill bestreut servieren.

Für 4 Portionen:

4 Zucchini (ca. 600 g)
Zitronensaft
3 Knoblauchzehen
Salz
Pfeffer
8 El Olivenöl
1/2 Bund frisch gehackter Dill

Zubereitungszeit:
ca. 15 Minuten
(plus Backzeit)
ca. 242 kcal/1016 kJ

TIPP:

Sie eignen sich als Beilage zu Lammfleisch- oder Fischgerichten.

Variation
Zucchini

... mit Maiskölbchen

Die Zucchini waschen und in Portionsstücke schneiden. Etwas aushöhlen. Das Innere mit Tequila beträufeln und mit Maiskölbchen auslegen. Hot Salsa (FP) mit Mais und Kürbiskernen verfeinern und in die Zucchini füllen. Mit Petersilie garniert servieren.

Feine Gemüse-Tempura

Für 4 Portionen:

250 g Thai-Spargel

300 g Brokkoli

300 g Blumenkohl

750 ml Asiafond

3 El Apfelessig

3 El trockener Sherry

3 El Sojasauce

1 Stück frischer Ingwer (1 cm)

1 getrocknete Chilischote

4 Tomaten

1 Bund Frühlingszwiebeln

1 Bund Koriander

200 ml Mineralwasser

200 ml Weißwein

4 Eigelb

1 El getrocknetes Zitronengras

250 g Mehl

Mehl zum Bestäuben

Öl zum Frittieren

Zubereitungszeit: ca. 35 Minuten
Pro Portion: ca. 477 kcal/2005 kJ

Den Spargel putzen, waschen und die unteren Enden abschneiden. Den Kohl putzen, waschen und in kleine Röschen teilen. Alles im Fond ca. 4 Minuten blanchieren.

Den Essig mit Sherry, Sojasauce, geriebenem Ingwer und der zerbröselten Chilischote verrühren. Die Tomaten putzen, waschen und in Würfel schneiden.

Die Frühlingszwiebeln putzen, waschen und in Ringe schneiden. Den Koriander waschen, trocknen und die Blättchen fein hacken. Sauce, Tomaten, Frühlingszwiebeln und Koriander miteinander mischen und kühl stellen.

Das Mineralwasser mit dem Weißwein verrühren. Das Eigelb verquirlen und unterrühren. Das Zitronengras und das Mehl einrühren und alles zu einem glatten Teig verrühren.

Das Gemüse abgießen und abtropfen lassen. Mit Mehl bestäuben und anschließend durch den Ausbackteig ziehen.

Das Öl in einer Fritteuse oder einem Topf erhitzen und das Gemüse darin goldbraun frittieren. Anschließend auf Küchenpapier abtropfen lassen und alles mit der Tomaten-Salsa anrichten.

Für 6–8 Portionen

800 g Naturjoghurt
1 große Salatgurke
Salz
3 Knoblauchzehen
1 El Weißweinessig
2 El Olivenöl
2 Zweige Minze

Zubereitungszeit:
ca. 25 Minuten
(plus Kühlzeit)
Pro Portion: ca. 194 kcal/815 kJ

TIPP

Tsatsiki schmeckt als Vorspeise mit Fladenbrot, aber
auch als Beilage zu gebratenem oder gegrilltem
Fleisch.

Variation

Fladenbrot mit Tsatsiki

Zucchini in Streifen, Tomaten in Achtel und Zwiebeln
in Würfel schneiden. Alles
mit frisch gepresstem
Knoblauch aromatisieren.
Danach vorsichtig mit
Tzatsiki mischen und in
die warmen Brote füllen.

Tsatsiki

Den Joghurt in ein Tuch geben und gut abtropfen lassen. Anschließend in eine Schüssel geben.

Die Gurke waschen, schälen und raspeln. Mit 1 Teelöffel Salz mischen und etwa 15 Minuten stehen lassen. Das entstandene Wasser abgießen. Den Knoblauch schälen und zerdrücken.

Die Gurken zum Joghurt geben und unterrühren. Den Knoblauch unterrühren. Essig und Öl verrühren und unter den Joghurt heben.

Den Tsatsiki mit Salz abschmecken und abgedeckt etwa 15 Minuten kühl stellen. Die Minze waschen, trockenschütteln und die Blättchen abzupfen. Tsatsiki mit Minze garniert servieren.

Für 4 Portionen:

3 große Auberginen

1 Zwiebel

2 Knoblauchzehen

Saft von 1/2 Zitrone

Salz

Schwarzer Pfeffer

100 ml Olivenöl

2 El Tomatenmark

1/2 Bund gehackte frische Petersilie

10 schwarze und grüne Oliven

Zubereitungszeit:
ca. 1 Stunde, 20 Minuten
(plus Kühlzeit)
Pro Portion: ca. 305 kcal/1281 kJ

Auberginencreme

Die Auberginen putzen, waschen und trockentupfen. Mit einer Gabel rundum einstechen und unter dem Grill etwa 1 Stunde bei geringer Hitze garen, bis sie weich sind.

Auberginen kurz abkühlen lassen und längs halbieren. Das Fruchtfleisch mit einem Löffel herausholen. Zwiebel und Knoblauch schälen und hacken.

Auberginenfruchtfleisch, Zwiebel, Knoblauch und Zitronensaft im Mixer pürieren, mit Salz und Pfeffer würzen.

Das Olivenöl langsam zu der Creme geben und dabei weiter pürieren. Das Tomatenmark dazugeben und nochmals abschmecken. Creme kühl stellen.

Die Auberginencreme mit Petersilie und mit Oliven garniert servieren.

Dazu passen
Gemüsespieße

... mit Romanesco

Romanesco, Spargel und Frühlingszwiebeln abwechselnd auf einen Spieß stecken. In Öl braten. Würzen. Spieße mit Zitronenschalenaroma bestreuen.

... Ziegenkäse

Ziegenkäse ist frisch und würzig mit einem ganz speziellen Aroma, das auch bei uns immer mehr Liebhaber findet. Für unseren Spieß haben wir Ziegenkäse mit Kartoffelschalen, Salatgurke und rote Schalotten genommen.

Bunte Gemüseterrine

Für 4 Portionen:

200 g Möhren, Salz
250 g Blumenkohl (TK-Produkt), aufgetaut
125 ml Milch
2 Eier
Pfeffer aus der Mühle
frisch geriebene Muskatnuss
Butter für die Form
1/4 Bund Dill
1/4 Bund Schnittlauch
1/4 Bund Petersilie
150 g Vollmilch-Joghurt
100 g Kräuter-Crème-fraîche
Salatblätter und Tomaten zum Garnieren

Zubereitungszeit:
ca. 1 1/4 Stunden
Pro Portion: ca. 251 kcal/1057 kJ

Die Möhren putzen, waschen und in kochendem Salzwasser ca. 10 Minuten kochen.

Nach 5 Minuten den Blumenkohl dazu geben. Das Gemüse auf einem Sieb abtropfen lassen.

Die Milch und die Eier verquirlen. Mit Salz, Pfeffer und Muskat würzen. Eine Kastenform mit Butter ausstreichen. Den Backofen auf 175 °C vorheizen.

Den Blumenkohl mit den Röschen nach unten in die Form legen, die Möhren und die Erbsen darüber geben. Die Eiermilch über das Gemüse gießen und im Backofen auf der mittleren Einschubleiste ca. 40 Minuten stocken lassen.

Inzwischen die Kräuter waschen und trockenschütteln. Einige Kräuter beiseite legen, die restlichen fein hacken. Joghurt mit Kräuter-Crème-fraîche und gehackten Kräutern verrühren, mit Salz und Pfeffer abschmecken.

Die Terrine abkühlen lassen und in Scheiben schneiden. Mit Kräutern, Salatblättern, Tomaten und Joghurtdressing garniert servieren.

Würzkartoffeln mit Dip

Für 4 Portionen:

1 kg große Kartoffeln
800 ml Pilzfond
9 El Walnussöl
80 g Sonnenblumenkerne
80 g Sesamsaat
80 g grobes Meersalz
20 g gerebelter Koriander
1 Bund Basilikum
1 Bund Frühlingszwiebeln
300 g Ziegenfrischkäse
3 El Sherry
Salz
Bunte Pfefferkörner

Zubereitungszeit: ca. 45 Minuten
Pro Portion: ca. 212 kcal/889 kJ

Die Kartoffeln waschen und mit Schale im Pilzfond ca. 10 Minuten garen. Anschließend abtropfen lassen und in dicke Scheiben schneiden.

Den Backofen auf 200 °C vorheizen. Ein ausreichend großes Backblech mit etwas Öl beträufeln und die Kartoffelscheiben darauf ausbreiten.

Die Kartoffelscheiben ebenfalls mit etwas Öl beträufeln und nacheinander mit Sonnenblumenkernen, Sesam, Salz und Koriander bestreuen.

Das Ganze dann im Backofen auf der mittleren Einschubleiste ca. 20 Minuten backen.

Das Basilikum waschen, trocknen und in Streifen schneiden.

Die Frühlingszwiebeln putzen, waschen und in Ringe schneiden. Frühlingszwiebeln und Basilikum mit dem Frischkäse verrühren und mit Sherry, Salz und frisch gemahlenem Pfeffer abschmecken. Die Kartoffelscheiben auf Tellern anrichten und mit dem Dip servieren.

Für 4 Portionen:

2 Kartoffeln

1 mittelgroße Zucchini

1 mittelgroße rote Paprika

1 kleine Zwiebel

3 Knoblauchzehen

1 Päckchen schnittfester Tofu

1 El Olivenöl

3 El Tamari

2 Tl Curry

1 Würfel Gemüsebrühe

8 Tortillas (ca. 20 cm Ø)

1 El frisch gehackte Petersilie

Zubereitungszeit:
ca. 35 Minuten
Pro Portion: ca. 291 kcal/1222 kJ

TIPP:

Wenn Sie nur vier Burritos benötigen, können Sie die Füllung zwei Tage im Kühlschrank aufbewahren und bei Bedarf kurz in der Mikrowelle aufwärmen.

Dazu passen Häppchen

... mit Orange

Orangenscheibe mit Zucchini belegen. Salzen, mit Tomate garnieren und mit Knoblauchsauce (FP) beträufeln. Das Ganze mit einem Spieß feststecken.

Herzhafte Tofu-Gemüse-Burritos

Kartoffeln schälen und klein würfeln. Zucchini waschen und in mundgerechte Stücke schneiden, Paprika putzen und fein würfeln. Zwiebel und Knoblauchzehen schälen und fein hacken. Den Tofu in 1 cm große Würfel schneiden.

Kartoffelwürfel in leicht gesalzenem Wasser etwa 10 Minuten weich kochen. Abtropfen lassen.

Inzwischen in einer Pfanne das Olivenöl erhitzen und das restliche Gemüse bei mittlerer Hitze etwa 5 Minuten schmoren.

Kartoffeln, Tofuwürfel, 100 ml Wasser, Tamari, Curry und Brühwürfel dazugeben und alles weitere 10 Minuten köcheln lassen, bis die Flüssigkeit verkocht ist. Von Zeit zu Zeit umrühren.

Die Tortillas in der Mikrowelle (nach Packungsanweisung) oder im Backofen bei 220 °C (Umluft 200 °C) erwärmen.

In die Mitte jedes Tortillafladens einen Löffel Gemüsefüllung geben und den Fladen von zwei Seiten zu einem Burrito zusammenfalten. Auf dem Teller anrichten und mit Petersilie bestreut servieren.

Gebratene Auberginen

Die Auberginen waschen, trocknen und längs in nicht zu dünne Scheiben schneiden.

In ein Sieb geben, mit Salz bestreuen und ca. 20 Minuten ziehen lassen, um das Fruchtfleisch zu entwässern. Anschließend abspülen und abtropfen lassen.

Das Öl in einer Pfanne erhitzen und die Auberginenscheiben darin braten.

Inzwischen den Knoblauch schälen, fein hacken und nach ca. 3 Minuten zu den Auberginen geben.

Den Joghurt mit den Mandeln verrühren und mit Kardamom-, Nelken-, Zimt- und Pimentpulver würzen. Das Kürbiskernöl unterrühren.

Die Petersilie waschen, trocknen und klein schneiden. Unter die Joghurtmischung rühren. Die Auberginen mit der Sauce auf Tellern anrichten und mit Zitronenmelisse garniert servieren. Die Haselnüsse darüber streuen.

Für 4 Portionen:

4 Auberginen
Salz
4 El Olivenöl
3 Knoblauchzehen
300 g Joghurt
150 g gemahlene Mandeln
Je 1 Msp. Kardamom-, Nelken-, Zimt- und Pimentpulver
2 El Kürbiskernöl
1 Bund Petersilie
Zitronenmelisse zum Garnieren
Gehackte Haselnüsse zum Bestreuen

Zubereitungszeit:
ca. 30 Minuten
Pro Portion: ca. 447 kcal/1879 kJ

Linsenfrikadellen

Für ca. 10–12 Stück

300 g rote Linsen

300 g feiner Bulgur

2 El Margarine

2 Zwiebeln

3 Frühlingszwiebeln

3 grüne Paprikaschoten

1 Bund gehackte frische
Petersilie

4 El Öl

1 El Tomatenmark

Salz

Pfeffer

Paprikapulver

Kümmel

Kopfsalatblätter zum Anrichten

Zubereitungszeit: ca. 45 Minuten
Pro Portion: ca. 440 kcal/1848 kJ

TIPP

Nehmen Sie statt Bulgur die
gleiche Menge Maisgrieß
(Polenta).

Die Linsen waschen, abtropfen lassen und in etwa 500 ml Wasser etwa 15 Minuten kochen, bis das Wasser aufgesogen ist.

Bulgur und 1/2 Tl Salz hinzufügen und unter Rühren weitere 5 Minuten quellen lassen. Anschließend die Margarine unterrühren.

Die Zwiebeln schälen und hacken. Frühlingszwiebeln und Paprikaschoten putzen, waschen, die Zwiebeln fein hacken, die Paprika entkernen und ebenfalls fein hacken.

Das Öl in einer Pfanne erhitzen und die Zwiebeln darin glasig schmoren. Frühlingszwiebeln und Paprika dazugeben und kurz mitschmoren. Das Tomatenmark unterrühren und mit den Gewürzen abschmecken. Abkühlen lassen.

Den Pfanneninhalt mit der Linsen-Bulgur-Masse vermischen und die Petersilie unterkneten. Kleine Frikadellen formen und nach Belieben 3–4 Stück auf gewaschenen Salatblättern anrichten und servieren.

Gemüsespieße

Für 4 Portionen:

250 g rote Paprika

250 g gelbe Paprika

250 g Champignons

100 g Bacon (Frühstücksspeck)

3 El Knoblauchöl

3 El helle Sojasauce

Salz

Pfeffer aus der Mühle

Zubereitungszeit:
ca. 30 Minuten
Pro Portion: ca. 304 kcal/1276 kJ

Die Paprikaschoten halbieren, vom Kerngehäuse befreien, waschen und in nicht zu kleine Stücke schneiden.

Die Champignons kurz abbrausen und in Scheiben schneiden. Den Bacon in ca. 2 cm breite Streifen schneiden.

Die Zutaten abwechselnd auf vier Spieße stecken. Das Öl, die Sojasauce, Salz und Pfeffer verrühren und das Gemüse damit einpinseln.

Die Spieße unter dem Backofengrill ca. 15 Minuten grillen.

Die Gemüsespieße auf Tellern anrichten. Dazu passen Baguette und eine Grill-Sauce oder ein Kräuter-Joghurt-Dip.

Variation

Gemüsespieße

... mit Steckrüben

Vorgegarte Steckrüben mit Tomaten und Paprika auf Spieße stecken. In Pfefferbutter von allen Seiten braten. Mit Salz und Pfeffer würzen.

Für 4 Portionen:

4 große Tomaten
1 Dose Cannellinibohnen (200 g)
2 Knoblauchzehen
60 g Pinienkerne
200 g Paniermehl
2 El geriebener Parmesan
1 El frisch gehackter Oregano
1 El Olivenöl
1/8 Tl Salz
1/8 Tl schwarzer Pfeffer
1/2 Tl getrockneter Thymian
2 Tl fettarme Margarine

Zubereitungszeit:
ca. 25 Minuten
Pro Portion: ca. 220 kcal/920 kJ

Gefüllte Tomaten

Tomaten waschen und trockenreiben. Oben je einen etwa 1,5 cm dicken Deckel abschneiden und die Tomaten mit einem Löffel entkernen. Die Tomatendeckel vom Stielansatz befreien und in feine Würfel schneiden. Bohnen abgießen und abtropfen lassen. Knoblauch schälen und zerdrücken.

Backofen auf 180 °C (Umluft 160 °C) vorheizen. Pinienkerne in einer Pfanne ohne Fett rösten.

Tomatenwürfel, die Hälfte des Paniermehls und restliche Zutaten außer Thymian und Margarine in einer Schüssel mischen. Die Mischung in die ausgehöhlten Tomaten füllen und diese in eine große Auflaufform setzen.

Restliches Paniermehl und Thymian mischen und über die Tomaten streuen. Margarine schmelzen und vorsichtig darüber gießen.

Die gefüllten Tomaten im Backofen etwa 20 Minuten backen, bis das Paniermehl goldbraun ist.

Variation

Gefüllte Tomaten

... mit Hüttenkäse

Die Tomate waschen, einen Deckel abschneiden und aushöhlen. Mit Salz, Pfeffer und Zwiebelpulver würzen. Hüttenkäse mit Sahnemeerrettich (FP), Kapern und Mais mischen. Die Käsemasse in die Tomate füllen und den Deckel wieder aufsetzen.

Für 4 Portionen:

4 Artischocken
Salz
Zitronensaft
1 Ei
2 Schalotten
1 Bund Petersilie
1 El Kapern
6 El Weinessig
Pfeffer
4 El Öl
Zucker
1/4 Bund Zitronenmelisse
80 g weiche Butter
1 El Joghurt

Zubereitungszeit:
ca. 20 Minuten
Pro Portion: ca. 301 kcal/1261 kJ

Gekochte Artischocken

Die Artischocken waschen und abtropfen lassen. Die Stiele abschneiden. Gesalzenes Wasser zum Kochen bringen, etwas Zitronensaft hineinträufeln. Die Artischocken darin ca. 15–20 Minuten bei milder Hitze ziehen lassen.

Das Ei kochen, abschrecken, pellen und fein hacken. Die Schalotten schälen und in kleine Würfel schneiden. Die Petersilie waschen, trocknen und fein hacken. Die Kapern abtropfen lassen.

Für die Vinaigrette Essig mit Salz und Pfeffer verrühren. Schalotten, Ei, Petersilie und Kapern unter die Essigmasse heben und das Öl unterschlagen. Mit Salz, Pfeffer und Zucker abschmecken.

Zitronenmelisse waschen, trocknen und die Blättchen abzupfen. Die Butter schaumig schlagen. Joghurt und Zitronenmelisse unterrühren. Mit Salz, Pfeffer und Zitronensaft würzen.

Artischocken mit der Vinaigrette und der Zitronenbutter anrichten.

Tabbouleh

Für 4 Portionen:

200 g Bulgur
1 Bund glatte Petersilie
4 Zweige frische Minze
1/2 Schlangengurke
4 Frühlingszwiebeln
2 Fleischtomaten
Saft von 2 Zitronen
4 El Olivenöl
Salz
Schwarzer Pfeffer

Zubereitungszeit: ca. 20 Minuten
(plus Zeit zum Ziehen)
Pro Portion: ca. 308 kcal/1291 kJ

TIPP

Statt mit Bulgur kann Tabbouleh auch mit Weizengrieß zubereitet werden. Auch die Gemüsesorten können Sie nach Belieben variieren.

Den Bulgur in 1/2 l Wasser etwa 10 Minuten kochen, dann vom Herd nehmen und weitere 20 Minuten quellen lassen.

Inzwischen die Petersilie und Minze waschen, trockenschütteln und hacken. Die Gurke schälen und in feine Würfel schneiden. Frühlingszwiebeln putzen, waschen und fein hacken.

Die Tomaten waschen und von den Stielansätzen befreien, dann das Fruchtfleisch ebenfalls fein würfeln.

Den Bulgur mit einer Gabel auflockern. Mit dem Gemüse und den Kräutern in einer Schüssel vermischen.

Zitronensaft und Öl mit Salz und Pfeffer mischen und den Gemüsesalat damit überziehen. Mindestens 1 Stunde durchziehen lassen, dann nochmals gut durchrühren und servieren.

Für 4 Portionen:

90 g grober Bulgur

4 Frühlingszwiebeln

4 Knoblauchzehen

1 grüne Chilischote

2 El Tomatenmark

2 El Olivenöl

2 El gehackte frische
Petersilie

3 El gehackte frische Minze

Salz

Frisch gemahlener schwarzer
Pfeffer

12 kleine Salatblätter

Zitronenachtel zum
Garnieren

Zubereitungszeit:
ca. 30 Minuten
(plus Einweichzeit)
Pro Portion: ca. 151 kcal/634 kJ

TIPP

Füllen Sie ein halbes Fladenbrot mit den Küchlein,
Zwiebelringen, Tomaten-
und Gurkenscheiben, Salat
und einer pikanten Sauce
oder Majonäse.

Bulgur-Küchlein

Den Bulgur waschen, abtropfen lassen und etwa 60 Minuten in kochendem Wasser einweichen.

Inzwischen die Frühlingszwiebeln putzen, waschen und fein hacken.
Die Knoblauchzehen schälen und hacken. Die Chilischote putzen, waschen,
entkernen und ebenfalls hacken.

Den Bulgur gut ausdrücken und die gehackten Zutaten und Kräuter,
das Tomatenmark sowie das Öl untermischen und alles mit den Händen verkneten. Mit den Gewürzen abschmecken und kurze Zeit ziehen lassen.

Aus der Bulgurmischung kleine Bällchen formen und mit dem Finger in
die Mitte eine Vertiefung hineindrücken.

Die Bulgur-Küchlein auf den Salatblättern mit Zitronenachteln servieren.
Beim Essen werden die Zitronen ausgepresst und der Zitronensaft in die Vertiefung geträufelt.

Tomaten-Canapés

Aus dem Brot 12 Kreise von ca. 10 cm Ø ausstechen. Tartelettförmchen oder flache Tassen mit etwas Butter ausstreichen. Den Backofen auf 170 °C vorheizen.

Die Brotkreise von beiden Seiten mit etwas zerlassener Röstzwiebelbutter bestreichen und in die Förmchen drücken. Portionsweise ca. 15 Minuten braun backen. Anschließend abkühlen lassen und das Brot vorsichtig aus den Förmchen nehmen. Tomato al gusto mit Frischkäse und Schmand verrühren. Die Frühlingszwiebeln putzen, waschen und in feine Ringe schneiden. Die Kräuter waschen, trocknen und fein hacken. Frühlingszwiebeln und Kräuter unter den Käse rühren und alles mit Salz und Pfeffer abschmecken.

Die Masse auf die Brote streichen. Die Brote in eine flache feuerfeste Form setzen und mit dem Käse bestreuen. Alles im Backofen auf der mittleren Einschubleiste ca. 6 Minuten goldbraun backen. Mit Kresse garniert servieren.

Für 4 Portionen:

12 Scheiben Vollkornbrot
Butter für die Form
80 g Röstzwiebelbutter
300 g Tomato al gusto mit Kräutern
200g Frischkäse
4 El Schmand
1/2 Bund Frühlingszwiebeln
1/2 Bund Petersilie
1/2 Bund Basilikum
8 Salz
9 Pfeffer
5 El geriebener Pecorino
1 Beet Kresse

Zubereitungszeit:
ca. 35 Minuten
366 kcal/1538 kJ

Variation
Torteletts mit

... Tomaten

Torteletts mit Tomaten, Sardellenfilets, Zwiebelwürfeln, geschnittenen Champignons und Kräutern belegen. Mit Manchego (Hartkäse) garnieren und anschließend überbacken.

Für 4 Portionen:

100 g weiche Butter

4 El Honig

3 Eier

1 Tl Zimtpulver

1/2 Tl gemahlene Anissamen

100 g Weizenmehl Type 405

1/2 Tl Backpulver

1 Prise Salz

100 ml lauwarmes Wasser

1 Zwiebel

200 g Magerquark

200 g Hüttenkäse

4 El saure Sahne

1 Bund Schnittlauch

100 g Frühstücksspeck

Fett für das Hörncheneisen

Zubereitungszeit:
ca. 20 Minuten (plus Backzeit)
Pro Portion: ca. 284 kcal/1194 kJ

Käsehörnchen

Die Butter mit dem Honig schaumig schlagen. Die Eier dazugeben und so lange rühren, bis die Masse eine hellgelbe Farbe hat.

Die Gewürze, das Mehl, das Backpulver und das Salz dazugeben und das Ganze mit dem Wasser zu einem glatten Teig verrühren.

Die Zwiebel schälen und in Würfel schneiden. Den Quark mit dem Käse und der Sahne verrühren. Den Schnittlauch waschen, trockenschütteln, in Röllchen schneiden und mit den Zwiebelwürfeln unter die Quark-Käse-Masse rühren. Den Frühstücksspeck in Scheiben schneiden und in einer Pfanne ohne Fett rösten.

Das Hörncheneisen vorheizen, fetten und den Teig portionsweise ausbacken. Das noch warme Gebäck zu Tüten drehen und jeweils in eine Sektschale zum Auskühlen stellen.

Den Bibbeleskäs in die Hörnchen füllen und mit dem Frühstücksspeck belegen. Auf Tellern anrichten und servieren.

Für 4 Portionen:

150 g weiche Butter

3 Eier

200 g Weizenmehl Type 405

1 Msp. Backpulver

Fett für das Waffeleisen

250 g gekochte Garnelen

2 El Zitronensaft

2 El Weißweinessig

5 El Mayonnaise

Salz

Pfeffer aus der Mühle

Salatblätter zum Auslegen

Kräuter und Zitronen-
scheiben zum Garnieren

Zubereitungszeit:
ca. 15 Minuten
(plus Kühl- und Backzeit)
Pro Portion: ca. 388 kcal/1631 kJ

Variation

Garnelen

... mit Mischpilzen

Küchenfertige Garnelen
waschen, trocknen und mit
Zitronensaft beträufeln. In
Kräuterbutter (FP) anbra-
ten. Mischpilze dazugeben
und kurz mitbraten. Mit
Salz und Pfeffer würzen.
Die Garnelen mit den
Mischpilzen anrichten und
mit gehackten Kräutern
garnieren.

Waffelkörbchen mit Garnelen

Die Butter mit den Eiern schaumig schlagen. Das Mehl und das Backpulver unterrühren.

Das Waffeleisen vorheizen, fetten und aus dem Teig portionsweise Waffeln goldgelb ausbacken.

Zum Formen der Körbchen die Waffeln noch warm in Dessertschalen
legen und erkalten lassen.

Die Garnelen waschen und trockentupfen. Den Zitronensaft mit dem Essig und der Mayonnaise verrühren. Mit Salz und Pfeffer abschmecken.

Die Waffeln aus den Dessertschalen nehmen und auf Tellern anrichten. Die Salatblätter waschen, trockentupfen und die Waffelkörbchen damit
auslegen. Die Garnelen mit der Sauce mischen, in die Körbchen verteilen und
mit Kräutern und Zitronenscheiben garniert servieren.

Mini-Pizza-Parade

Für 4 Portionen:

2 Frühlingszwiebeln

1 Tomate

1 rote Zwiebel

1/4 Bund Basilikum

100 g schwarze Oliven ohne Stein

100 g geräuchertes Aalfilet

100 g Sardinen aus der Dose

50 g Thunfisch aus der Dose

100 g Blauschimmelkäse

80 g Mozzarella

300 g Pizzateig (FP)

Mehl zum Bearbeiten

100 g Tomatenpüree mit Kräutern (FP)

2 El gehackte Kürbiskerne

1 El Kapern

10 g Sardellenfilets

Italienische Kräuter nach Belieben

Zubereitungszeit: ca. 40 Minuten
Pro Portion: ca. 687 kcal/2877 kJ

Die Frühlingszwiebeln putzen und in Ringe schneiden. Die Tomate putzen, waschen und in Scheiben schneiden. Die rote Zwiebel schälen und in Ringe schneiden. Das Basilikum waschen, trockenschütteln und in Streifen schneiden. Die Oliven in feine Scheiben schneiden.

Das Aalfilet in Scheiben schneiden. Sardinen, Artischocken und Thunfisch abgießen. Die Artischocken in Stücke schneiden. Blauschimmelkäse und Mozzarella in Scheiben schneiden.

Den Pizzateig auf einer bemehlten Arbeitsfläche ausrollen und mit einem runden Ausstecher 5 kleine runde Pizzen von ca. 10 cm Ø ausstechen.

Die Pizzen mit dem Tomatenpüree bestreichen. Die erste Pizza mit Frühlingzwiebelringen und Blauschimmelkäse belegen und mit gehackten Kürbiskernen bestreuen.

Die zweite Pizza mit Tomatenscheiben, Aal und Kapern belegen. Die dritte Pizza mit Zwiebelringen, Sardinen und Basilikum belegen. Die vierte Pizza mit Oliven und Sardellen belegen. Die fünfte Pizza mit den Artischocken, Thunfisch und Mozzarella belegen.

Die Pizzen mit italienischen Kräutern bestreuen und im Backofen auf der mittleren Einschubleiste ca. 15 Minuten bei 200 °C (Umluft 180 °C) backen.

Für 4 Portionen

150 g Mehl

1 Päckchen Backpulver

1/2 Tl Zucker

1/2 Tl Salz

150 g Kürbisfleisch

1 Chilischote

Etwas abgeriebene Schale
einer Limette

Öl zum Frittieren

Zubereitungszeit:
ca. 10 Minuten
(plus Frittierzeit)
Pro Porton: ca. 148 kcal/622 kJ

Kürbisfrittata

Mehl und Backpulver mischen und mit Zucker und Salz würzen. 125 ml Wasser hinzufügen und einen geschmeidigen Teig herstellen.

Das Kürbisfleisch fein raspeln. und unter den Teig mischen. Die Chilischote waschen, trocknen, entkernen, fein hacken und mit der Limettenschale zum Teig geben.

Das Frittieröl in der Fritteuse erhitzen. Mit einem Teelöffel kleine Teigstücke abstechen und im heißen Öl goldgelb ausbacken.

Die Kürbisfrittata mit einem Schaumlöffel aus der Fritteuse heben und auf Küchenpapier abtropfen lassen. Die Kürbisfrittata noch heiß als Snack servieren.

Gemüse-Chips

Den Backofen auf 180 °C vorheizen. Die Fettpfanne des Backofens leicht einfetten.

Das Gemüse schälen und in dünne Scheiben hobeln. Mit dem Öl mischen und alles mit Salz und Pfeffer bestreuen.

Alles in zwei Portionen teilen. Jeweils eine Portion mit Oregano und Thymian und die andere Hälfte mit der Dillsaat bestreuen.

Die Chips in die Fettpfanne geben und alles ca. 20 Minuten backen. Mit einem Quarkdip servieren.

Für 4 Portionen:

1,5 kg Süßkartoffeln, Topinambur, Pastinaken und Petersilienwurzeln

4 El Olivenöl

Knoblauchsalz

Pfeffer

Je 1 Tl Oregano, Thymian und Dillsaat, gerebelt

Zubereitungszeit:
ca. 30 Minuten
Pro Portion: ca.148 kcal/618 kJ

Frittierte Karotten mit Joghurt

Für 4 Portionen

1,5 kg mittelgroße Karotten

Salz

1 Prise Zucker

300 g Mehl

500 ml Öl

500 g Vollmilchjoghurt

1 kleine Fenchelknolle

Zubereitungszeit: ca. 20 Minuten
(plus Frittierzeit)
Pro Portion: ca. 335 kcal/1407 kJ

TIPP

Das Gemüse können Sie problemlos austauschen. Der Joghurt-Dip schmeckt auch mit Zucchini, Auberginen, Paprika oder Champignons.

Die Karotten putzen, waschen, schälen und in größere Stifte schneiden. In kochendem Salzwasser etwa 15 Minuten blanchieren und in kaltem Wasser abschrecken.

Das Mehl mit 250 ml Wasser und einer Prise Zucker verrühren. Das Öl in einem Topf erhitzen.

Die Karotten einzeln in den Teig tauchen und anschließend im heißen Öl frittieren.

Frittierte Karotten auf Küchenpapier abtropfen lassen. Den Fenchel putzen, waschen und mit dem Grün sehr fein hacken.

Den Joghurt mit Salz und 2 El gehacktem Fenchel verrühren und mit den Karotten anrichten.

Für 4 Portionen:

Für die Glückssterne:
250 g TK-Blätterteig
Butter zum Einfetten
1 Eigelb
2 Auberginen
Salz
2 El Olivenöl
2 Knoblauchzehen
60 g Walnusskerne
1 Bund Basilikum
150 g geriebener
Emmentaler
Pfeffer

Zubereitungszeit: ca. 1 Std.
Pro Portion: ca. 917 kcal/3851 kJ

Glückssterne

Blätterteig nach Packungsanweisung auftauen lassen. Den Backofen auf 220 °C vorheizen. Mit einem großen Ausstecher (8–10 cm Ø) 16 Sterne ausstechen.

Auf den Sternen mit einem kleineren Förmchen Innensterne markieren. Die Sterne auf ein eingefettetes Backblech setzen, mit dem Eigelb bestreichen und auf der mittleren Einschubleiste 15–20 Minuten backen. Herausnehmen und abkühlen lassen.

Dann vorsichtig den Mittelstern aus der oberen Teigschicht herauslösen und abheben, so dass ein Rand entsteht.

Die Auberginen putzen, in kleine Würfel schneiden und mit Salz bestreut ca. 20 Minuten ruhen lassen. Anschließend gut abwaschen und trocknen.

Das Öl erhitzen und die Auberginenwürfel darin anbraten. Die Knoblauchzehen schälen und dazudrücken. Die Walnusskerne grob hacken und zu der Auberginenmischung geben. Das Basilikum waschen, trocknen und in feine Streifen schneiden. Ebenfalls dazugeben.

Die Mischung in die Sterne füllen. Mit Käse und Pfeffer bestreuen und auf der mittleren Einschubleiste nochmals ca. 5 Minuten überbacken. Den Sterndeckel zum Servieren wieder auf die Glückssterne legen.

Für 4 Portionen

1 Dose Hummerfleisch
(50 g EW)

1 El Butter

2 El gehackter Dill

Saft von 1 Zitrone

100 g Crème fraîche

3 Eier

125 g Mehl

150 ml Milch

125 g saure Sahne

1 Prise Salz

2 El Butterschmalz zum
Backen

Dillzweige, Zitronen und
Tomatenröschen zum
Garnieren

Zubereitungszeit:
ca. 20 Minuten (plus Backzeit)
Pro Portion: ca. 189 kcal/797 kJ

Hummerröllchen

Das Hummerfleisch in einem Sieb abtropfen lassen, dann das Fleisch mit den Fingern etwas zerpflücken.

Die Butter in einer Pfanne erhitzen. Das Hummerfleisch, den Dill und den Zitronensaft in die Pfanne geben. Die Crème fraîche unterrühren. Alles warm stellen.

Die Eier trennen und das Eiweiß steif schlagen. Das Eigelb mit dem Mehl, der Milch, der sauren Sahne und etwas Salz verquirlen.

Das steif geschlagene Eiweiß vorsichtig unter den Teig heben. Das Schmalz in einer Pfanne erhitzen, den Teig darin portionsweise zu 8 Crêpes ausbacken.

Die Crêpes mit der Füllung bestreichen und zusammenrollen. Danach in schräge Streifen schneiden. Mit Dill, Zitronenscheiben und Tomatenröschen garniert servieren.

Crostini mit Olivenpaste

Für 4 Portionen:

350 ml Milch

1 Würfel frische Hefe

750 g Mehl

Salz, 1 Ei

100 g weiche Butter

250 g gekochter Schinken

250 g Provolone

2 El gehackte Kräuter

200 g schwarze Oliven aus dem Glas

4 Knoblauchzehen

1 Bund Petersilie

4 El Olivenöl

Pfeffer aus der Mühle

2 El Knoblauchöl

Zubereitungszeit: ca. 2 Stunden
Zeit zum Gehen: ca. 1 Stunde
Pro Portion: ca. 1141 kcal/4793 kJ

Die Milch erwärmen und die Hefe darin auflösen. Das Mehl in eine Schüssel sieben, in die Mitte eine Mulde drücken. Salz, Ei und Butter am Rand verteilen. Die Hefemilch in die Mulde gießen und alles zu einem glatten Teig verkneten. Den Teig zugedeckt ca. 1 Stunde gehen lassen. Den Backofen auf 220 °C vorheizen.

Den Schinken in kleine Würfel schneiden, den Käse fein reiben. Den Hefeteig in drei Portionen teilen. Eine Portion mit den Schinkenwürfeln verkneten, eine Portion mit dem geriebenen Käse und die letzte Teigportion mit den gehackten Kräutern verkneten.

Die drei Teigportionen jeweils zu einem Strang formen und die drei Stränge miteinander verflechten. Den Zopf nochmals 30 Minuten gehen lassen.

Den Käse-Schinken-Zopf im Backofen auf der mittleren Einschubleiste ca. 40 Minuten backen.

Die Oliven abgießen und abtropfen lassen. Danach die Knoblauchzehen schälen und durchpressen.

Die Petersilie waschen, trockenschütteln und fein hacken. Petersilie, Oliven, Knoblauch und Öl mit dem Schneidstab des Handrührgerätes pürieren und anschließend mit Salz und Pfeffer pikant abschmecken.

Den Zopf abkühlen lassen, in Scheiben schneiden. Das Knoblauchöl in einer Pfanne erhitzen und die Crostinischeiben darin goldbraun rösten. Mit der Olivenpaste bestrichen servieren.

Für 4 Portionen

500 g Schafskäse

4 El Mehl

Schwarzer Pfeffer

3–4 El Olivenöl zum Braten

Saft von 1/2 Zitrone

Zubereitungszeit:
ca. 20 Minuten
Pro Portion: ca. 400 kcal/1680 kJ

TIPP

Statt in der Pfanne können
Sie den Schafskäse auch in
einer Auflaufform im Ofen
bei 180 °C (Umluft 160 °C)
backen. Dann nicht panie-
ren, sondern nur mit Kräutern bestreuen und mit Olivenöl beträufeln.

Gebratener Schafskäse

Den Käse in 1–2 cm dicke Scheiben schneiden. Gut trockentupfen.

Das Mehl mit dem Pfeffer mischen und auf einen Teller geben. Die Käsescheiben darin wenden.

In einer Pfanne das Olivenöl erhitzen und die Käsescheiben darin von beiden Seiten braten.

Die gebackenen Käsescheiben aus der Pfanne nehmen und auf Küchenpapier abtropfen lassen. Mit Zitronensaft beträufelt servieren.

Gefüllte Johanni-Kartoffeln

Die Kartoffeln waschen und in leicht gesalzenem Wasser ca. 25 Minuten garen. Inzwischen den Spargel waschen, schälen, die unteren Enden abschneiden und die Stangen in Stücke schneiden. Im erhitzten Gemüsefond ca. 12 Minuten garen.

Herausnehmen und abtropfen lassen. Die Kartoffeln abgießen, halbieren und vorsichtig aushöhlen.

Butterschmalz erhitzen und den Spargel darin andünsten. Estragon waschen, trocknen und fein hacken. Den Madeira angießen und die Estragonblättchen zum Spargel geben.

Den Pumpernickel zerbröseln und mit dem Öl vermengen. Dann den Spargel und den Pumpernickel in die Kartoffeln füllen und den Käse darüber verteilen. Alles im Backofen auf der mittleren Einschubleiste ca. 10 Minuten überbacken.

Für 4 Portionen:

8 große fest kochende Kartoffeln

Salz

1 kg grüner Spargel

750 ml Gemüsefond

3 El Butterschmalz

1 Bund Estragon

2 cl Madeira

2 Scheiben Pumpernickel

2 El Öl

200 g geriebener Munster-Käse

Zubereitungszeit: ca. 1 Stunde
Pro Portion: ca. 510 kcal/2145 kJ

TIPP:

Johannitag ist der 24. Juni und dies ist der letzte Termin für frischen Spargel aus Deutschland. Spargel ist nicht nur eine wahre Delikatesse, sondern auch ideal für alle, die ein paar Pfunde verlieren wollen: Er ist sehr kalorienarm und wirkt entschlackend.

Dazu passen Hähnchensticks

... mit Frischkäse

Hähnchenbrust in Streifen schneiden, salzen, pfeffern und nacheinander in Mehl, Ei und Semmelbröseln wenden. In heißem Fett goldbraun ausbacken. Frischkäse mit Sahne, Zwiebel-, Knoblauch- und Rosmarinpulver glatt rühren Mit Zitronensaft verfeinern. Die Sticks mit der Sauce, Zuckerschoten und Zitronenscheiben anrichten.

... mit Mayonnaise

Hähnchenbrust in Streifen schneiden, salzen, pfeffern und nacheinander in Mehl, Ei und Semmelbröseln wenden. In heißem Fett goldbraun ausbacken. Mayonnaise mit Currypulver verrühren und mit Zwiebelwürfeln verfeinern. Die Sticks mit der Sauce, Zwiebeln und Kräutern anrichten.

Chili-Kürbis-Puffer

Für 4 Portionen

500 g Kürbisfleisch
1 rote Chilischote
250 g Dinkelmehl
1 P. Backpulver
Je 1/2 Tl Salz und Zucker
Olivenöl

Zubereitungszeit: ca. 25 Minuten
(plus Ausbackzeit)
ca. 270 kcal/1134 kJ

Kürbisfleisch schälen und grob raspeln. Chilischote putzen, waschen, entkernen und fein hacken.

Mehl, Backpulver, Salz und Zucker mischen, 200 ml Wasser dazugießen und alles zu einem glatten Teig verarbeiten. Kürbisraspel und Chili unter den Teig mischen.

Das Olivenöl erhitzen. Mit einem Löffel einzelne Teigportionen abstechen und im Öl zu goldgelben Puffern ausbacken. Die Chili-Kürbis-Puffer auf Küchenpapier abtropfen lassen und noch heiß mit Apfel-Kürbis-Chutney oder einer anderen pikanten Sauce servieren.

Für 4 Portionen:

Für die Kartoffeln:

4 große Kartoffeln

2 rote Zwiebeln

1 Bund Petersilie

1 El Majoran

2 El Butter

Salz

Pfeffer

2 Cornichons

250 g Leberpastete mit Trüffeln

4 El Keta-Kaviar

Zubereitungszeit:
ca. 35 Minuten
Pro Portion: ca. 400 kcal/1681 kJ

Gourmet-Kartoffeln

Den Backofen auf 180 °C vorheizen. Die Kartoffeln waschen, in Folie einwickeln und im Backofen auf der mittleren Einschubleiste ca. 25 Minuten garen.

Die Zwiebeln schälen und in Ringe schneiden. Petersilie und Majoran waschen, trocknen und fein hacken.

Die Butter erhitzen und die Zwiebeln mit den Kräutern andünsten. Mit Salz und Pfeffer würzen. Die Cornichons abtropfen lassen und in kleine Würfel schneiden.

Die Kartoffeln herausnehmen, längs halbieren und etwas aushöhlen. Das Kartoffelfleisch mit den Gurken zu den Zwiebeln geben.

Alles noch einmal abschmecken und mit der Leberpastete verrühren. Das Ganze in die Kartoffeln füllen und mit Kräutern und dem Kaviar garniert servieren.

Reisbeutelchen

Den Basmati-Reis nach Packungsanweisung garen.

Die Shrimps mit Reisweinessig, Mirin und Ingwersaft verrühren. Den Brokkoli waschen und in der Misobrühe ca. 4 Minuten garen lassen. Anschließend abgießen und grob zerkleinern.

Die Möhren schälen und in kleine Würfel schneiden. Das Öl erhitzen und die Möhrenwürfel darin ca. 3 Minuten dünsten. Die Eier mit Salz und Ingwerpulver verrühren.

Die Butter in einer Pfanne erhitzen und aus der Eimasse portionsweise dünne Omeletts ausbacken.

Die Omeletts auf einer Arbeitsplatte ausbreiten. Den Reis mit Brokkoliröschen, Möhren und den Shrimps zu einer Masse verkneten und daraus Bällchen formen.

Die Bällchen auf die Omeletts geben und alles zu Beutelchen formen. Mit Schnittlauch befestigen.

Für 4 Portionen:

100 g Basmati-Reis
100 g gekochte Shrimps
2 El Reisweinessig
1 El Mirin
2 El Ingwersaft
100 g Brokkoliröschen
250 ml helle Misobrühe
100 g Möhren
1 El Sesamöl
4 Eier
1 El Salz
1 Msp. Ingwerpulver
2 El Butter

Zubereitungszeit:
ca. 25 Minuten
Pro Portion: ca. 278 kcal/1165 kJ

Gourmet-Nester

Für 4 Portionen:

400 g Phyllo-Teigblätter (als Yufkateig in türkischen Lebensmittelgeschäften erhältlich)

750 g Rehfilet

400 g Champignons

1 Bund Frühlingszwiebeln

Je 1/2 Bund Petersilie, Thymian

1 Stängel Rosmarin

2 El Butterschmalz

Salz, Pfeffer

1 Tl Orangenschalenaroma

4 El Preiselbeergelee

1 El Sanddornpüree

3 El Rotwein

2 El zerdrückte grüne Pfefferkörner

Butter für die Förmchen

4 Birnen

250 g Roquefort

Cumberland- und Minzsauce zum Servieren

Zubereitungszeit: ca. 55 Minuten
Pro Portion: ca. 685 kcal/2877 kJ

Den Teig nach Packungsanweisung auftauen lassen. Das Fleisch waschen, trocknen und in kleine Würfel schneiden.

Die Pilze putzen, waschen und ebenfalls klein schneiden. Die Frühlingszwiebeln putzen, waschen und in Ringe schneiden.

Die Kräuter waschen, trocknen und fein hacken. Butterschmalz in einer Pfanne erhitzen und Fleisch, Pilze und Frühlingszwiebeln darin andünsten. Die Kräuter dazugeben, alles mit Salz, Pfeffer, Orangenschalenaroma, Preiselbeergelee, Sanddornpüree, Rotwein und Pfefferkörnern würzen und ca. 5 Minuten ziehen lassen.

Den Backofen auf 170 °C vorheizen. 8 ofenfeste Tassen mit Butter ausstreichen. Aus dem Teig 16 Dessertteller-große Kreise ausschneiden. Jeweils zwei Kreise in die Formen füllen und den Rand dabei in Wellen legen.

Die Füllung einfüllen. Die Birnen schälen, halbieren, entkernen, in Spalten schneiden und auf die Füllung geben.

Den Käse mit einer Gabel zerdrücken und darüber streuen. Im Backofen auf der mittleren Einschubleiste ca. 15 Minuten backen. Mit Cumberland- und Minzsauce servieren.

Für 4 Portionen:

750 g Tomaten

50 g getrocknete Aprikosen

2 Knoblauchzehen

150 g Zucker

150 ml Essig

Salz, Pfeffer

4 Scheiben Blätterteig
(TK-Produkt)

1 El Senf

1 Tl Kräuter der Provence

400 g Zwiebelmett

4 El Crème fraîche

1 El Paniermehl

1 El gehacktes Basilikum

1 Eiweiß

Zubereitungszeit: 2 1/2 Stunden
(plus Kühlzeit)
Pro Portion: ca. 925 kcal/3864 kJ

Blätterteigrollen
mit Tomaten-Chutney

Die Tomaten kreuzweise einritzen, überbrühen, häuten und grob hacken.

Die Aprikosen in feine Streifen schneiden. Die Knoblauchzehen schälen und fein hacken.

Die Tomaten mit den Aprikosen, dem Knoblauch, Zucker, Essig, Salz und Pfeffer in einen Topf geben und aufkochen lassen. Das Ganze bei kleiner Hitze ca. 2 Stunden köcheln lassen, dabei häufig umrühren. Das Chutney anschließend abkühlen lassen.

Die Blätterteigplatten nach Packungsanweisung auftauen lassen. Dann mit dem Senf betreichen, dabei einen Rand von 1 cm frei lassen. Die Platten mit den Kräutern bestreuen.

Das Mett mit Crème fraîche, Paniermehl und Basilikum verkneten und auf die Blätterteigplatten verteilen.

Die freigelassenen Ränder mit dem Eiweiß bestreichen und die Platten von der Längsseite her aufrollen. Die Ränder fest andrücken und die Röllchen im Backofen auf der mittleren Einschubleiste bei 180 °C ca. 20 Minuten backen.

Die Blätterteigrollen zusammen mit dem Tomatenchutney anrichten, garnieren und servieren.

Zucchini-Reibekuchen

Zucchini putzen, waschen, trocknen und mit der Reibe auf Küchenpapier reiben. Etwas abtropfen lassen. Die Chili putzen, waschen, entkernen und fein hacken.

Mehl und Eier in eine Schüssel geben und gut verrühren. Die Milch langsam zufügen und alles zu einer cremigen Masse verrühren.

Zucchini nochmals gut ausdrücken, dann unter den Teig rühren. Chili und Thymian hinzufügen, mit Salz und Pfeffer abschmecken. Das Öl erhitzen und esslöffelweise Teig hineingeben. Nacheinander goldbraune Reibekuchen backen.

Die fertigen Kuchen auf Küchenpapier abtropfen lassen. Sofort heiß als Beilage oder kleinen Snack servieren.

Für 4–6 Portionen:

2 Zucchini (ca. 300 g)
1/2 rote Chili
100 g Mehl
2 Eier
50 ml Milch
2 El frisch gehackter Thymian
1 El Öl
Salz
Pfeffer

Zubereitungszeit:
ca. 20 Minuten
Pro Portion: ca. 181 kcal/759 kJ

Dazu passen Jakobsmuscheln

... mit Kaviar

Jakobsmuschelfleisch in heller Sojasauce und Gin oder Wacholderschnaps marinieren. In Knoblauchbutter braten und mit Salz und Pfeffer würzen. Anschließend in Muschelschalen anrichten, mit der Butter beträufeln und mit Limonenscheiben und Keta-Kaviar garnieren.

Lachs-Röllchen

... mit Ei

Salatgurkenscheibe salzen, mit gegarter Steckrübe, Ei und Gewürzgurke belegen. Mit Tomate und grobem Senf garnieren. Das Ganze mit einem Spieß feststecken.

Für 4 Portionen:

200 g geräucherter Lachs
1 Tl Meerrettich
2 El Zitronensaft
1 Zwiebel
60 g Mayonnaise
250 g Blätterteig
Paprikapulver
Dill zum Garnieren

Zubereitungszeit: ca. 15 Minuten
Pro Portion: ca. 527 kcal/2213 kJ

Den Lachs in Streifen schneiden und mit dem Meerrettich und dem Zitronensaft in einer Schüssel verrühren. Die Zwiebel schälen und in Würfel schneiden.

Die Zwiebel mit der Mayonnaise unter die Lachsmischung rühren. Den Backofen auf 200 °C vorheizen. Den Blätterteig ausrollen und einen Kreis von ca. 20 cm Ø ausschneiden.

Die Lachsmischung darauf verteilen. Aus dem Kreis 16 Segmente ausschneiden und diese von der breiten Seite her aufrollen und mit Paprikapulver bestreuen.

Die Röllchen auf ein mit Backpapier ausgelegtes Backblech geben und im Backofen auf der mittleren Einschubleiste ca. 15 Minuten backen. Das Ganze mit Dill garniert servieren.

... mit Johannisbeeren

Weißbrot mit Pfefferbutter bestreichen. Mit Salatgurke und roten Zwiebeln belegen. Remoulade mit Currypulver verrühren. Mit Johannisbeeren und Zitronenmelisse garnieren.

Für 4 Portionen:

18 große Champignons
1 kleine Zwiebel
1 Knoblauchzehe
1 Tl Olivenöl
30 g gehackte Walnüsse
20 g Semmelbrösel
1 El geriebener Parmesan
1/2 Tl italienische Kräuter
Frisch gemahlener Pfeffer
nach Geschmack
1/2 Tl Paprikapulver

Zubereitungszeit:
ca. 45 Minuten
Pro Portion: ca. 73 kcal/307 kJ

Gefüllte Champignons

Den Backofen auf 175 °C (Umluft 150°C) vorheizen.

Die Pilze feucht abreiben und putzen. Die Stiele entfernen und fein hacken. Zwiebel und Knoblauchzehe schälen und hacken.

Das Olivenöl in einer Pfanne erhitzen und Pilzstiele, Zwiebel, Knoblauch und Walnüsse darin ca. 4–5 Minuten schmoren, bis die Zwiebel weich ist. Pfanne vom Herd nehmen und die restlichen Zutaten außer Paprikapulver unterrühren.

Die Masse in die Pilzköpfe füllen und diese in 1–2 leicht gefettete Auflaufformen setzen. Mit Paprikapulver bestäuben und im Ofen ca. 20–25 Minuten backen.

Die Pilze aus dem Ofen nehmen und sofort servieren.

Für 4 Portionen

150 g Weizenmehl Type 405

3 Eier

150 ml Milch

100 ml Mineralwasser

1 Prise Salz

2 El Öl zum Backen

300 g Blattspinat

100 g gemahlene Mandeln

50 g gehackte Mandeln

1 El Frischkäse

Pfeffer aus der Mühle

frisch geriebene Muskatnuss

glatte Petersilie zum Garnieren

Zubereitungszeit:
ca. 15 Minuten (plus Backzeit)
Pro Portion: ca. 247 kcal/1039 kJ

Spinatröllchen

Das Mehl mit den Eiern, der Milch, dem Mineralwasser und dem Salz zu einem glatten Teig verrühren.

Das Öl in einer Pfanne erhitzen und aus dem Teig nacheinander 8 Crêpes ausbacken. Warm stellen.

Den Spinat waschen und tropfnass in einen Topf geben. Zusammenfallen lassen und mit den gemahlenen und den gehackten Mandeln mischen. Den Frischkäse dazugeben und das Ganze mit Pfeffer und Muskat abschmecken.

Die Füllung auf die Crêpes streichen und die Crêpes zusammenrollen.

Kartoffel-Variationen

Für 4 Portionen:

Für die Kartoffeln:

400 g gekochte Kartoffeln

2 Eigelb

40 g geriebene Haselnüsse

Salz

Pfeffer

Paprikapulver

Öl zum Frittieren

1 kg längliche Kartoffeln

Zubereitungszeit: ca. 45 Min.
Pro Portion: ca. 595 kcal/2502 kJ

Tipp:

Kartoffeln, die stärkereichen Knollen, werden zu Unrecht für „Dickmacher" gehalten. Dabei sind es gerade die komplexen Kohlenhydrate in der Kartoffel, die unsere Muskeln mit Energie versorgen und uns helfen, überflüssiges Fett zu verbrennen. Fühlt man sich also träge und kraftlos, baut einen die Kartoffel wieder auf.

Die gekochten Kartoffeln durch die Kartoffelpresse drücken und mit dem Eigelb und den Haselnussblättchen mischen.

Mit Salz, Pfeffer und Paprikapulver abschmecken. Das Öl in einer Fritteuse erhitzen. Aus der Masse Bällchen formen und diese in heißem Öl goldbraun backen.

Inzwischen die länglichen Kartoffeln gut waschen, trocknen und mit dem Rettichschneider Spiralen daraus schneiden.

Dann in heißem Öl goldbraun ausbacken. Anschließend mit Salz und Paprikapulver würzen. Dazu passen Dips und ein bunter Salat.

Dip-Rezepte

Dips mit Mayonnaise ...

... und Pinienkernen

2 Eier mit etwas Weißwein-Essig, 2 El Öl, etwas Fleischfond, 2 El Joghurt und Salz im warmen Wasserbad so lange verrühren, bis eine dickflüssige Creme entsteht. Pinienkerne in einer trockenen Pfanne rösten. Basilikum fein hacken und anschließend mit Pesto (FP) und Mayonnaise verrühren. Kalt werden lassen, dabei mehrmals umrühren. Salzen und pfeffern. Mit Pinienkernen garnieren.

... und Paprikamark

Mayonnaise mit Paprikamark, heller Sojasauce und Ingwerpulver verrühren. Mit Salz und Pfeffer abschmecken. Kalt werden lassen, dabei mehrmals umrühren. Anschließend mit Kräutern und frischem Ingwer garnieren.

Für 4 Portionen

100 g weiche Butter

3 Eier

100 g Roggenmehl

1/2 Tl Backpulver

100 ml Buttermilch

1 Tl Sesamkörner

50 g kernige Haferflocken

Salz

Pfeffer aus der Mühle

2 El Frischkäse

1 El Milch

100 g gebratene Putenbrust

Fett für das Waffeleisen

80 g frische Gurkenscheiben

Kirschtomaten zum Garnieren

Zubereitungszeit:
ca. 20 Minuten (plus Backzeit)
Pro Portion: ca. 221 kcal/928 kJ

Waffel-Sandwich

Die Butter mit den Eiern schaumig schlagen. Das Mehl mit dem Backpulver mischen und dazugeben. Alles mit der Buttermilch zu einem glatten Teig verrühren. Sesamkörner und Haferflocken unterrühren. Mit Salz und Pfeffer würzen.

Den Frischkäse mit der Milch verrühren. Die Putenbrust in Streifen schneiden.

Das Waffeleisen vorheizen, fetten und aus dem Teig portionsweise Waffeln goldgelb ausbacken.

Die Waffeln mit dem Frischkäse bestreichen und mit den Gurkenscheiben und der Putenbrust belegen. Das Ganze mit den Kirschtomaten garnieren und servieren.

Nudelnester

Die Spaghetti in ausreichend Salzwasser bissfest kochen. Abgießen, mit kaltem Wasser abschrecken und gut abtropfen lassen.

Die Eier mit der Speisestärke verrühren und die Spaghetti untermischen. Die Jakobsmuscheln auftauen lassen, waschen und gut trockentupfen.

Die Knoblauchzehen schälen und zerdrücken. Das Öl erhitzen und die Muscheln mit den Pfefferkörnern von allen Seiten gut anbraten.

Den Knoblauch dazugeben und mit dem Roséwein ablöschen. Mit Salz abschmecken und zugedeckt ca. 3–4 Minuten schmoren.

Die Sauce mit der sauren Sahne verfeinern. Die Spaghetti zu Nestern drehen und in heißem Fett vorsichtig frittieren.

Die Nudel-Nester auf Tellern anrichten und die Muscheln auf die Nudeln geben. Die Sauce darumgießen und alles mit Basilikum servieren.

Für 4 Portionen:

400 g Spaghetti
Salz
2 Eier
2 El Speisestärke
300–400 g Jakobsmuscheln (TK)
3 Knoblauchzehen
4 El Chiliöl
1–2 El saure Sahne
Fett zum Frittieren
Basilikumblätter zum Garnieren

Zubereitungszeit:
ca. 40 Minuten
Pro Portion: ca. 603 kcal/2532 kJ

Blätterteig mit Krabbenfüllung

Für 4 Portionen:

300 g TK-Blätterteig, aufgetaut

Mehl für die Arbeitsfläche

400 g Doppelrahm-Frischkäse

1 El Zitronensaft

1/4 Bund Dill

300 g gekochte, geschälte Nordseekrabben

Salz

Pfeffer aus der Mühle

2 Eigelb

2 El Milch

Zubereitungszeit:
ca. 30 Minuten
Pro Portion: ca. 627 kcal/2636 kJ

Den Backofen auf 225 °C vorheizen. Die Blätterteigplatten auf einer bemehlten Arbeitsfläche nebeneinander auslegen.

Den Frischkäse mit dem Zitronensaft verrühren. Den Dill waschen, trockenschütteln, fein hacken und zusammen mit den Krabben unter die Käsecreme rühren. Mit Salz und Pfeffer abschmecken.

Den Blätterteig zu einem gut 40 x 60 cm großen Rechteck ausrollen und 24 Kreise von ca. 10 cm Durchmesser ausstechen.

Die Käsecreme auf die Hälfte der Kreise verteilen, dabei außen einen Rand von ca. 1 cm lassen. Das Eigelb und die Milch miteinander verquirlen. Die Ränder mit der Eiermilch bestreichen.

Die restlichen Kreise darauflegen und die Ränder fest andrücken. Mit der verbliebenen Eiermilch bestreichen.

Den Blätterteig auf der mittleren Einschubleiste in ca. 15 Minuten goldbraun backen.

Gebackene Zucchini mit Käse-Dip

Für 4 Portionen:

2 Zucchini

300 g Mehl

Salz

2 El Öl

2 Eigelb

400 ml Chianti

6 Eiweiß

300 g Gorgonzola

125 ml Sahne

1 Bund Schnittlauch

Pfeffer aus der Mühle

Zubereitungszeit:
ca. 40 Minuten
Pro Portion: ca. 1778 kcal/7469 kJ

Die Zucchini putzen, waschen und in fingerdicke Scheiben schneiden. Das Mehl mit dem Salz, dem Öl, dem Eigelb und dem Wein verrühren. Den Teig ca. 15 Minuten quellen lassen.

Das Eiweiß steif schlagen und unter den Teig heben. Die Zucchinischeiben durch den Backteig ziehen und in einer Fritteuse portionsweise goldgelb ausbacken.

Den Gorgonzola mit der Sahne glatt rühren. Den Schnittlauch waschen, trockenschütteln und in feine Röllchen schneiden. Unter den Käse-Dip rühren und diesen mit Salz und Pfeffer abschmecken. Die Zucchinischeiben mit dem Dip anrichten und servieren.

Für 4 Portionen:

Für die Wan-tans:
300 g Kirschtomaten
1/2 Bund Basilikum
2 Knoblauchzehen
200 g Frischkäse
1 El gehackte Pinienkerne
Salz
Pfeffer
Chilipulver
Öl zum Frittieren
12 Wan Tan Blätter
Schnittlauch

Zubereitungszeit: ca. 35 Min.
Pro Portion: ca. 255 kcal/1071 kJ

Tomaten galten schon immer als unkeusche Liebesäpfel. Heute sind sie weitaus mehr als nur Zierpflanzen und gelten als absolut gesunde, erfrischende und appetitanregende Früchte. Die zahlreichen Mineralstoffe und Vitamine der Tomate regen die Tätigkeit von Magen, Bauchspeicheldrüse und Leber an.

Frittierte Wan Tans

Die Tomaten waschen, halbieren und in Würfel schneiden. Das Basilikum waschen, trocknen und in Streifen schneiden. Die Knoblauchzehen schälen und durchpressen.

Alles mit dem Frischkäse verrühren. Die gehackten Pinienkerne dazugeben und alles mit Salz, Pfeffer und Chilipulver abschmecken.

Das Öl in einer Fritteuse erhitzen. Die Wan Tan Blätter auf einer Arbeitsplatte ausbreiten und die Käsecreme darauf verteilen.

Alles zu Beutelchen formen, mit dem Schnittlauch zusammenbinden und im heißen Öl goldbraun ausbacken. Dazu passt eine Kräutersauce.

Enten-Päckchen

Für 4 Portionen:

12 Eichblattsalat-Blätter
12 Blatt Reispapier
450 g Entenbrustfilet ohne Haut
600 ml Geflügelbrühe
250 g Chinakohl
4 Schalotten
2 Knoblauchzehen
1 rote Chilischote
3 El Himbeeressig
1 Bund Petersilie
1 Bund Basilikum
Salz
Pfeffer
3 El Fischsauce
2 El helle Sojasauce
4 El gehackte Erdnüsse
4 El Erdnussöl
Kresse zum Servieren

Zubereitungszeit: ca. 40 Minuten
Pro Portion: ca. 640 kcal/2688 kJ

Variation:

Anstelle des Fleisches Reis dazugeben. Das Reispapier mit Holzspießen fixieren und das Ganze anschließend in heißem Öl goldbraun frittieren.

Die Salatblätter waschen und trocknen. Die Reispapierblätter in feuchte Tücher einschlagen, damit sie weich werden.

Das Fleisch waschen, trocknen und in Würfel schneiden. Die Brühe in einem Topf zum Kochen bringen und das Fleisch darin ca. 15 Minuten ziehen lassen.

Den Chinakohl putzen, waschen und in feine Streifen schneiden. Die Schalotten schälen und in Würfel schneiden. Die Knoblauchzehen schälen und fein hacken.

Die Chilischote waschen, trocknen, längs halbieren, entkernen und fein hacken. Das Fleisch abtropfen lassen und mit Chinakohl, Schalotten, Knoblauch und Chilis in eine Schüssel geben. Alles mit Himbeeressig beträufeln.

Die Kräuter waschen, trocknen und fein hacken. Ebenfalls dazugeben und alles mit Salz, Pfeffer, Fisch- und Sojasauce würzen.

Die Erdnüsse und das Erdnussöl dazugeben. Die Salatblätter mit der Füllung belegen und zu Päckchen einschlagen. Alles in Reispapierblätter einschlagen und auf einem Kressebett anrichten.

Für 4 Portionen

1 Paket Filo-Teigblätter

1 Schalotte

1/2 Bund glatte Petersilie

2 Minzezweige

100 g Hüttenkäse

100 g Schafskäse, zerbröckelt

50 g frisch geriebener Parmesan

1 Ei

Salz

Schwarzer Pfeffer

3 El Butter

Zubereitungszeit:
ca. 45 Minuten
Pro Portion: ca. 330 kcal/1386 kJ

TIPP

Sie können die Käsesorten auch variieren, zum Beispiel mit Hüttenkäse, Gorgonzola und Emmentaler.

Gefüllte Teigtaschen

Die Teigblätter mit Wasser einreiben und unter einem feuchten Tuch etwa 10 Minuten ruhen lassen. Die Schalotte schälen, hacken, die Kräuter waschen und trockenschütteln. Minzeblättchen mit der Petersilie hacken.

Den Backofen auf 200 °C (Umluft 180 °C) vorheizen. Die Kräuter, Schalotte und die drei Käsesorten miteinander vermischen. Das Ei unterrühren und die Masse mit Salz und Pfeffer würzen.

Die Teigblätter in 20 cm lange und 7 cm breite Streifen schneiden. Je 3 Streifen übereinander legen. Auf die Streifen einen Teelöffel Käsefüllung geben und diese dann zu Dreiecken falten.

Ein Backblech mit Backpapier auslegen und die Teigdreiecke darauf legen. Die Butter zerlassen und die Dreiecke damit bestreichen. Im Ofen etwa 15 Minuten backen, bis sie goldbraun sind.

Gefüllte Muschelnudeln

Die Muschelnudeln in kochendem Salzwasser bissfest garen. Abgießen, mit kaltem Wasser abschrecken und abtropfen lassen.

Das Fischfilet waschen, trocknen und in Stücke schneiden. Mit Salz, Pfeffer, Zitronensaft und Sojasauce würzen. Das Öl mit der Butter erhitzen und die Fischstücke darin ca. 3–5 Minuten braten. Herausheben und abtropfen lassen.

Die Frühlingszwiebeln putzen, waschen, trocknen und in feine Ringe schneiden. Die Zuckerschoten putzen, waschen, trocknen und in Stücke schneiden. Den Rucola putzen, waschen, trocknen und grob hacken.

Den Backofen auf 200 °C vorheizen. Eine Auflaufform einfetten. Frühlingszwiebeln und Zuckerschoten im Fischbratfett ca. 3–5 Minuten dünsten, Rucola unterheben, mit Crème fraîche verfeinern und mit Salz und Pfeffer abschmecken. Fischstücke vorsichtig unterheben.

Die Nudeln mit der Fisch-Gemüse-Masse füllen und in die Auflaufform setzen. Den Mozzarella abtropfen lassen und in Scheiben schneiden. Die Muschelnudeln mit Mozzarella belegen und auf der mittleren Einschubleiste des Backofens ca. 15 Minuten überbacken.

Für 4 Portionen:

200 g große Muschelnudeln
Salz
200 g Seelachsfilet
Pfeffer
Zitronensaft
2 Tl Sojasauce
1 El Öl
1 El Butter
1 Bund Frühlingszwiebeln
200 g Zuckerschoten
1 Bund Rucola
Butter zum Einfetten
200 g Crème fraîche
125 g Mozzarella
Kräuter zum Garnieren

Zubereitungszeit:
ca. 45 Minuten
Pro Portion: ca. 455 kcal/1460 kJ

Hähnchengeschnetzeltes in Blätterteigpasteten

Für 8 Portionen:

500 g Hähnchenbrustfilets
Salz
Pfeffer aus der Mühle
2 El Sonnenblumenöl
1 rote Paprikaschote
1 Zwiebel
200 g Brokkoli (TK)
8 Blätterteigpasteten
200 g Crème fraîche

Zubereitungszeit: ca. 30 Minuten
Pro Portion: ca. 854 kcal/3586 kJ

Das Fleisch waschen, trockentupfen und in ca. 2 cm breite Streifen schneiden. Mit Salz und Pfeffer würzen. Das Öl in einer Pfanne erhitzen und das Fleisch darin rundherum anbraten.

Den Backofen auf 180 °C vorheizen.

Die Paprikaschote halbieren, entkernen, waschen und in Würfel schneiden. Die Zwiebel schälen und würfeln.

Das Fleisch herausnehmen. Die Paprikawürfel, Zwiebel und den Brokkoli in dem Öl ca. 10 Minuten dünsten.

Die Pasteten im vorgeheizten Backofen erwärmen.

Das Geschnetzelte zum Gemüse geben, ca. 5 Minuten mitdünsten. Die Crème fraîche in die Pfanne geben und nochmals mit Salz und Pfeffer abschmecken.

Das Geschnetzelte in die Pastetenformen füllen. Dazu passt ein Chicoréesalat.

Für 6 Portionen

500 g Blätterteig (Yufka)
1/2 Bund Petersilie
150 g Schafskäse
2 Eier
25 g frisch geriebener Gouda
500 ml Sonnenblumenöl

Zubereitungszeit: ca. 30 Minuten
Pro Portion: ca. 693 kcal/2909 kJ

Blätterteig mit Käse

Die Blätterteigscheiben halbieren und aufeinander legen, dann in drei gleich große Stücke teilen.

Die Petersilie waschen, trockenschütteln und hacken. Den Schafskäse zerkrümeln. Die Eier trennen. Das Eiweiß beiseite stellen. Petersilie, Eigelbe und Käse in einer Schüssel vermischen.

Auf die breite Seite jedes Blätterteigstücks ein nussgroßes Stück Käsefüllung setzen. Querseiten einschlagen, eine Längsseite über die Füllung schlagen und aufrollen. Die Rollen mit verquirltem Eiweiß bestreichen.

Das Öl in einem großen Topf oder einer Fritteuse erhitzen und die Blätterteigrollen darin knusprig goldgelb backen.

Gefüllte Gem Squash

Den Backofen auf 200 °C (Umluft 180 °C) vorheizen. Die Kürbisse waschen, halbieren, entkernen und die Innenfasern entfernen. Das Fleisch einschneiden und mit Olivenöl beträufeln.

Peperoni waschen, entkernen und fein hacken. Knoblauch schälen und durchpressen. Sahne, Peperoni, Knoblauch und Gewürze verrühren und in die Kürbisse füllen.

Die Squashs mit Käse bestreuen und im Ofen ca. 30 Minuten backen.

Für 4 Portionen

4 Gem Squash Kürbisse
Olivenöl
1 grüne Peperoni
2 Knoblauchzehen
300 ml Sahne
100 g frisch geriebener Gruyère
1 Prise Muskat
Salz, Pfeffer

Zubereitungszeit:
ca. 10 Minuten
(plus Backzeit)
ca. 350 kcal/1470 kJ

Brik mit Thunfisch

Für 4 Portionen

1 Dose Thunfisch in Öl
(150 g)

2 rote Zwiebeln

1/2 Bund Koriander

2 El Olivenöl

Salz

Schwarzer Pfeffer

4 Brikblätter

4 Eier

1 Eiweiß

300 ml Sonnenblumenöl

1 Zitrone

Zubereitungszeit: ca. 45 Minuten
Pro Portion: ca. 483 kcal/2027 kJ

TIPP

Briks sind in Tunesien dünne
Teigblätter aus Weizenmehl,
Wasser und Salz. In Marokko
heißen sie Briouts, in Algerien
Bourek. Sie können z. B. auch
mit Hackfleisch oder Kartoffeln
gefüllt werden. Sie sind in allen türkischen und arabischen
Lebensmittelläden erhältlich.

Den Thunfisch aus der Dose nehmen und
in einem Sieb abtropfen lassen. Die Zwiebeln
schälen und fein reiben. Den Koriander waschen, trockenschütteln und fein hacken.

Das Olivenöl in einer Pfanne erhitzen
und Zwiebeln sowie Koriander darin bei geringer Temperatur etwa 6 Minuten dünsten.
Die Pfanne vom Herd nehmen. Den Thunfisch dazugeben und alles zu einer glatten
Paste verrühren, mit Salz und Pfeffer abschmecken.

Die Brikblätter auslegen und die Thun-
fischpaste darauf verteilen. In die Mitte der
Paste eine Mulde drücken und je ein Ei darüber aufschlagen. Mit Salz und Pfeffer würzen.

Die eine Teighälfte umklappen und
die Teigränder fest aufeinander drücken, damit sie schließen. Das letzte Ei trennen und
mit dem Eiweiß die Teigränder bestreichen.
Das Sonnenblumenöl in einer großen Pfanne
oder der Fritteuse erhitzen und die Teigta-
schen darin goldbraun ausbacken. Auf Küchenpapier abtropfen lassen. Mit Zitronenspalten garnieren.

1 Zwiebel

2 Knoblauchzehen

2 Tomaten

1 El Öl

300 g Rinderhack

Salz

Chilipfeffer

Paprikapulver

12 Mini-Tacoschalen

Zubereitungszeit: 30 Minuten
Pro Portion: ca. 228 kcal/1008 kJ

Tacos

Die Zwiebel und die Knoblauchzehen schälen und fein hacken.

Die Tomaten kreuzweise einritzen, überbrühen, häuten, entkernen und in Würfel schneiden.

Das Öl erhitzen und die Zwiebel- mit den Knoblauchwürfeln darin anbraten.

Die Tomatenwürfel und das Hackfleisch dazugeben. Alles unter Rühren 5 Minuten bröselig anbraten. Mit Salz, Chilipfeffer und Paprikapulver feurig scharf abschmecken und weitere 5 Minuten leicht schmoren lassen.

Die Tacos mit Hackfleisch füllen, mit Kräuter bestreuen und sofort servieren.

Heiße Kartoffelplätzchen

Die Kartoffeln waschen und mit der Schale in ca. 1/2 cm dicke Scheiben schneiden. Ein Backblech mit dem Öl einfetten. Für den ersten Belag die Mango schälen, entkernen und in feine Würfel schneiden.

Die Barbecuesauce mit den Mangowürfeln mischen. Die Kresse waschen, trocknen und fein hacken. Unter die Sauce rühren.

Für den zweiten Belag die Chilischoten waschen und fein hacken. Die Bambussprossen abtropfen lassen und ebenfalls fein hacken. Das Ganze mit dem Sesamöl mischen.

Für den dritten Belag die Avocado schälen, vom Stein lösen und in feine Würfel schneiden. Anschließend mit dem Zitronensaft beträufeln.

Die Pecannüsse fein hacken, mit den Avocadowürfeln und der Pfeffersauce mischen. Den Backofen auf 200° C vorheizen.

Je ein Drittel der Kartoffelscheiben mit einem Belag bestreichen und mit Alufolie bedeckt ca. 20 Minuten backen. Die Folie entfernen und weitere 15 Minuten bei 220° C knusprig braten.

Für 4 Portionen:

6 mittelgroße Kartoffeln
1 El Öl
1 Mango
2 El Barbecuesauce
1 Kästchen Kresse
2–4 Chilis
100 g Bambussprossen
(aus der Dose)
1 El Sesamöl
1 Avocado
1 El Zitronensaft
100 g Pecannüsse
2 El Pfeffersauce

Zubereitungszeit:
ca. 45 Minuten
Pro Portion ca. 536 kcal/2252 kJ

Tofu-Beignets

Für 4 Portionen

5 Schalotten
4 Knoblauchzehen
2 Tl Koriander
ca. 200 ml Kokosöl
80 g Bohnensprossen
3 El Blattpetersilie
500 g fester Tofu
1–2 Eier
1/2 Tl frisch gemahlener Pfeffer
2–3 El Reis- oder Weizenmehl
2 Tl Backpulver
1 El gehackte Petersilie
Evtl. 1 Ei zusätzlich

Zubereitungszeit: ca. 1 Stunde
Pro Portion: ca. 255 kcal/1071 kJ

TIPP

Servieren Sie die Beignets lauwarm mit verschiedenen Sam-
bals und Ketchup.

Schalotten und Knoblauchzehen schälen, grob hacken und mit dem Koriander in einem Chobek fein zerstampfen. Etwa 2–3 El Öl im Wok erhitzen und die Zwiebel-Knoblauch-Mischung darin unter ständigem Rühren etwa 3 Minuten braten, bis sie goldgelb ist.

Den Inhalt des Woks in eine große Schüssel geben und etwas abkühlen lassen. Das Öl in dem Wok lassen.

Bohnensprossen blanchieren und abtropfen lassen. Die Blattpetersilie waschen, trocknen, fein hacken und in eine kleine Schüssel geben. Den Tofu grob würfeln, hinzufügen, alles mit einer Gabel zerdrücken und gut vermischen. Zu der Zwiebelmischung geben und unterrühren.

Das Ei verquirlen und mit Pfeffer, Reis- oder Weizenmehl und Backpulver zu einem glatten Teig verrühren. Den Teig zu den Zutaten in die Schüssel geben, alles sorgfältig vermengen und abschmecken. Das restliche Öl in den Wok geben und erhitzen.

Von der Masse mit einem Esslöffel eine kleine Portion abstechen und im heißen Fett ausbacken. Fällt das Probebeignet auseinander, noch 1 verquirltes Ei unter die Teigmasse rühren. Nacheinander kleine Beignets backen und auf Küchenpapier abtropfen lassen. Mit Petersilie bestreuen und warm oder kalt servieren.

Für 4 Portionen:

2 Zucchini (ca. 250 g)

4 El Butter

50 g Haferflocken

100 ml Milch

2 Eier

Salz

Frisch gemahlener Pfeffer

Muskatnuss

3 El frisch gehackte Petersilie

1 Schalotte

1/8 l trockener Weißwein

1/8 l Gemüsebrühe

2 El saure Sahne

1 Bund frisch gehackte gemischte Kräuter (z. B. Kerbel, Dill, Petersilie, Schnittlauch, Pimpinelle)

Zitronensaft

Zubereitungszeit:
ca. 20 Minuten
(plus Koch- und Backzeit)
Pro Portion: ca. 268 kcal/1124 kJ

Zucchini-Flan mit Kräutersauce

Zucchini putzen, waschen und trocknen. Klein schneiden und in 250 ml kochendem Wasser ca. 15 Minuten garen. Zucchini abgießen, das Kochwasser auffangen. Die Zucchini mit dem Pürierstab pürieren.

2 El Butter in einer Pfanne erhitzen, die Haferflocken hineingeben und kurz anrösten. Milch und ca. 100 ml Zucchini-Kochwasser dazugießen.

Den Backofen auf 200 °C (Umluft 180 °C) vorheizen. Die Eier trennen. Die Eigelbe unter das Zucchinipüree schlagen und alles in die Pfanne füllen. Mit Gewürzen und Petersilie abschmecken. Die Eiweiße steif schlagen und ebenfalls unter das Püree heben.

Auflaufförmchen mit 1 El Butter einfetten. Die Zucchinimasse in die Förmchen füllen und im Backofen ca. 20–25 Minuten backen.

Inzwischen für die Kräutersauce die Schalotte schälen und fein hacken. Die restliche Butter erhitzen und die Schalotte darin glasig dünsten. Mit Weißwein und Gemüsebrühe ablöschen und die Sauce leicht einkochen lassen. Saure Sahne angießen und weitere 5 Minuten köcheln lassen.

Die gehackten Kräuter mit dem Zitronensaft unter die Sauce rühren und mit Salz und Pfeffer abschmecken. Sauce zum warmen Zucchini-Flan reichen.

Pastetchen mit Meeresfrüchten

Den Backofen auf 225° C vorheizen. Den Blätterteig nach Packungsanweisung auftauen lassen. Eine Fischschablone von ca. 15 cm Länge ausschneiden. Die Schablone auf die Blätterteigplatten legen und aus dem Teig 4 Fische ausschneiden.

Das Eigelb mit etwas Wasser verquirlen und den Teig damit bestreichen, nach Wunsch verzieren. Im Backofen auf der mittleren Einschubleiste ca. 20 Minuten backen.

Die Meeresfrüchte auftauen lassen. Den Bacon in Streifen schneiden. Die Schalotten schälen und würfeln. Die Knoblauchzehen schälen und fein hacken. Salbei waschen, trocknen und fein hacken.

Die Butter in einer Pfanne erhitzen, den Bacon darin auslassen und die Schalotten mit dem Knoblauch darin andünsten. Die Meeresfrüchte dazugeben und das Ganze mit Salz und Pfeffer würzen.

Die Kirschtomaten waschen, trocknen, halbieren, in Spalten schneiden und mit dem Salbei zu den Meeresfrüchten geben. Crème fraîche und Cognac unterrühren.

Den Teig herausnehmen und waagerecht durchschneiden. Die Meeresfrüchte-Mischung auf der unteren Hälfte verteilen und die obere Hälfte wieder aufsetzen. Auf Tellern angerichtet servieren.

Für 4 Portionen:

250 g Blätterteig
(TK-Produkt)
1 Eigelb
500 g Meeresfrüchte (TK)
150 g Bacon
2 Schalotten
2 Knoblauchzehen
1 Bund Salbei
3 El Butter
Salz
Pfeffer aus der Mühle
100 g Kirschtomaten
100 g Crème fraîche
2 El Cognac

Zubereitungszeit:
ca. 45 Minuten
Pro Portion: ca. 652 kcal/2741 kJ

Kleine Sardellenpizza

Für 8 Stück:

400 g Weizenmehl

1 P. Trockenhefe (7 g)

1/2 Tl Jodsalz

3 El Olivenöl

200 ml lauwarmes Wasser

10 grüne Oliven ohne Steine

2 Zwiebeln

2 El Olivenöl

300 g Tomatenstücke aus der Dose

1 Tl Salbeiblätter

Jodsalz

Schwarzer Pfeffer aus der Mühle

Ca. 80 g Sardellenfilets, in Lake eingelegt

Öl für das Blech

Mehl zum Ausrollen

80 g geriebener Pecorino

Zubereitungszeit: ca. 1 Stunde
(plus Zeit zum Gehen)
Pro Portion: ca. 287 kcal/1203 kJ

TIPP:

Sie können die Minipizzen wahlweise auch mit Tomaten und Mozzarella oder mit Artischocken aus der Dose und Mozzarella belegen.

Mehl in eine Schüssel geben, eine Mulde hineindrücken, die Hefe, das Salz und das Öl hineingeben und nach und nach das Wasser zufügen. Alles mit der Hand gut vermengen und so lange kneten, bis der Teig glatt ist und nicht mehr klebt.

Den Teig zu einer Kugel formen, in eine Schüssel legen und mit einem Tuch abgedeckt an einem warmen Ort ca. 1 Stunde zur doppelten Größe aufgehen lassen.

Die Oliven fein hacken. Die Zwiebeln schälen, würfeln und im Öl glasig dünsten. Tomatenstücke, Oliven und Salbei vermischen und alles mit etwas Salz und Pfeffer abschmecken. Die Sardellenfilets halbieren.

Den Backofen auf 200 °C vorheizen und das Blech einfetten. Den Teig in 8 Teile teilen und jedes auf einer bemehlten Arbeitsfläche kreisrund ausrollen (ca. 12 cm Ø).

Die Minipizzen aufs Blech setzen, die Tomatenstücke auflegen und die Sardellenstücke darauf verteilen. Alles nochmals einige Minuten gehen lassen.

Die Pizzen auf der 2. Einschubleiste von unten etwa 25 Minuten backen. Etwa 10 Minuten vor Ende der Backzeit den Käse darauf verteilen.

Variationen

Pizza mit

... Lauch

Mit Tomatensauce, in Ringe geschnittenen Lauchstangen belegt und mit frisch geriebenem mittelaltem Gouda überbacken.

... Champignons

In Spalten geschnittene Champignons, Tomatensauce, in Streifen geschnittene Putensalami, frisch gehackte Kräuter und geriebener Käse, z. B. Pecorino, ein herzhafter Hartkäse aus Schafsmilch, geben dieser Pizza das gewisse Etwas.

Für 4 Portionen

100 g weiche Butter

2 El Honig

3 Eier

150 g Weizenmehl Type 405

1 Msp. Backpulver

1 Prise Salz

100 ml lauwarmes Wasser

Fett für das Hörncheneisen

400 g Champignons

1 Zwiebel

150 g gekochter Schinken

2 El Butterschmalz

Pfeffer aus der Mühle

Zubereitungszeit:
ca. 20 Minuten (plus Backzeit)
Pro Portion: ca. 249 kcal/1047 kJ

Provenzalische Waffelkörbchen

Die Butter mit dem Honig schaumig schlagen. Die Eier dazugeben und das Ganze so lange rühren, bis die Masse eine hellgelbe Farbe hat.

Mehl, Backpulver und Salz dazugeben und alles mit dem Wasser zu einem glatten Teig rühren.

Hörncheneisen vorheizen, fetten und den Teig portionsweise ausbacken. Die einzelnen warmen Waffeln in kleine Auflaufformen von ca. 10 cm Ø legen und auskühlen lassen.

Die Champignons putzen, waschen und in Scheiben schneiden. Die Zwiebel schälen und in Ringe schneiden. Den Schinken in Streifen schneiden.

Das Butterschmalz in einer Pfanne erhitzen und die Champignons und die Zwiebeln darin andünsten. Den Schinken dazugeben und alles mit Salz und Pfeffer würzen.

Die Champignons mit dem Schinken in die Waffeln geben und sofort servieren.

Kürbistörtchen

Das Mehl in eine Schüssel sieben, in die Mitte eine Mulde drücken und die Margarine in Flöckchen hineingeben. Eier und Salz hinzufügen und die Masse mit den Knethaken des Rührgeräts vermengen. Anschließend die Masse auf einer bemehlten Arbeitsfläche nochmals zu einem glatten Teig verkneten. In Folie wickeln und ca. 60 Minuten ruhen lassen.

Den Backofen auf 200 °C (Umluft 180 °C) vorheizen. Das Kürbisfleisch entkernen und die Innenfasern entfernen. Kürbisfleisch würfeln, in wenig Salzwasser weich kochen und anschließend mit Frischkäse und Eiern pürieren. Das Püree mit Salz und Pfeffer abschmecken. Die Tomaten waschen, die Stielansätze entfernen und die Tomaten in Scheiben schneiden.

Den Teig auf einer bemehlten Arbeitsfläche ausrollen und mit einem großen Glas Kreise von ca. 12 cm Ø ausstechen. Die Kreise in gefettete Förmchen legen, andrücken und mit dem Kürbispüree bestreichen. Jedes Törtchen mit einer Tomatenscheibe belegen und im Ofen ca. 15 Minuten backen.

Die Törtchen aus dem Ofen nehmen, auf Teller anrichten und sofort servieren.

Für 4–6 Portionen:

375 g Mehl

200 g Margarine

2 Eier

1/2 Tl Salz

150 g Kürbisfleisch

150 g Frischkäse mir Kräutern

2 Eier

Frisch gemahlener Pfeffer

4–5 Tomaten

Zubereitungszeit:
ca. 20 Minuten
(plus Ruhe- und Backzeit)
Pro Portion: ca. 883 kcal/3707 kJ

TIPP:

Nehmen Sie für diese Törtchen eine Kürbissorte, die nicht zu saftig ist, wie zum Beispiel Hokkaido. Diese Kürbisart kann auch mit Schale verzehrt werden.

Frische Salate

Hummersalat mit Minze

Für 4 Portionen:

1 Hummer (ca. 1 kg)

400 g Wassermelone

300 g Honigmelone

Saft von 1 Zitrone

2 El Akazienhonig

6 Blättchen Minze

1 El Zucker

3 El Traubenkernöl

50 g Cashewkerne

Zubereitungszeit:
ca. 45 Minuten
Pro Portion: ca. 547 kcal/2300 kJ

Den Hummer in kochendes Wasser geben und ca. 5 Minuten darin ziehen lassen. Anschließend den Panzer und die Scheren aufbrechen, das Fleisch herauslösen und in Streifen schneiden.

Das Fruchtfleisch der Melone mit dem Kugelausstecher herauslösen.

Den Zitronensaft mit Honig, Minze, Zucker und Öl verrühren.

Die Melonenbällchen mit dem Hummerfleisch dekorativ anrichten und mit der Sauce beträufeln. Alles mit den Cashewkernen garnieren.

Papayasalat à la Mandalay

Die Papayas schälen, entkernen und in kleine Stücke schneiden. Die Chilischoten etwas zerbröseln.

Den Thai-Soi putzen, waschen, trocknen und klein schneiden. Die Bohnen putzen, waschen, trocknen und klein schneiden. Erdnussöl in einer Pfanne erhitzen und die Bohnen 5 Minuten darin andünsten. In eine Schüssel geben.

Papayas und Chilis im Mixer fein pürieren. Die Cashewkerne grob hacken und mit der Garnelenpaste mischen. Die Paste mit Zitronensaft verrühren.

4 Palmzucker in 3 El warmem Wasser auflösen und mit der Fischsauce und Kokosmilch dazugeben. Die Tomaten putzen, waschen und halbieren. Alles zu den Bohnen geben und mit der Papayapaste mischen. Auf Tellern anrichten und servieren.

Für 4 Portionen:

2 Papayas

7 kleine getrocknete rote Chilischoten

120 g Thai-Soi

50 g Schlangenbohnen

3 El Erdnussöl

2 El ungesalzene Cashewkerne

1 Tl Garnelenpaste

3 El Zitronensaft

1 El gehackter Palmzucker

1 El Fischsauce (FP)

2 El Kokosmilch

12 Kirschtomaten

Zubereitungszeit:
ca. 20 Minuten
Pro Portion: ca. 104 kcal/439 kJ

Pfirsich-Rucola-Salat

Für 4 Portionen:

500 g gemischte Blattsalate

100 g Rucola

150 g roher Schinken

250 g Pfirsiche aus der Dose

6 El Olivenöl

3 El Essig

Salz

Pfeffer

Cashewkerne zum Garnieren

Zubereitungszeit: ca. 20 Minuten
Pro Portion: ca. 274 kcal/1150 kJ

TIPP:

Lust auf ein alternatives Salatdressing? Dann würzen Sie
100 g Joghurt mit reichlich
Curry, Salz und Pfeffer und geben dann zusätzlich ein wenig
Pfirsichsaft hinzu.

Den Salat waschen, trocknen und in mundgerechte Stücke zupfen. Den Rucola waschen und trocknen.

Den Schinken in schmale, lange Streifen schneiden. Die Pfirsiche in einem Sieb abtropfen lassen und in sehr schmale Spalten schneiden.

Das Öl mit dem Essig verrühren und mit Salz und Pfeffer würzen. Die Salatzutaten in eine Schüssel geben und alles mit der Salatsauce beträufeln. Ca. 5 Minuten ziehen lassen.

Alles auf Glastellern anrichten und mit den Cashewkernen und einigen Kräutern garniert servieren.

Für 4 Portionen:

1 kleiner Weißkohl
(ca. 300 g)

1 Nektarine oder Pfirsich

1/2 rote Zwiebel

3 El fettarme Salatcreme

2 El frische gehackte
Petersilie

1 El Obstessig

1 1/2 Tl Zucker

1 Prise gemahlener Pfeffer

Zubereitungszeit:
ca. 20 Minuten
(plus Kühlzeit)
Pro Portion: ca.335 kcal/1410 kJ

Weißkohl-Nektarinen-Salat

Kohl waschen, trocknen und in Streifen schneiden oder raspeln. Nektarine oder Pfirsich schälen, entkernen und in Scheiben schneiden. Zwiebel schälen und fein hacken.

Kohl, Nektarine und Zwiebel in eine Salatschüssel geben und vermischen.

Aus fettarmer Salatcreme, Petersilie und Obstessig ein Salatdressing herstellen. Mit Zucker und Pfeffer abschmecken. Danach mit dem Kohlsalat vermischen und mindestens 2 Stunden kühl stellen.

Melone mit Vinaigrette

Die Melone entkernen und mit einem Kugelausstecher das Fruchtfleisch herausholen. Die Gurke schälen und in kleine Würfel schneiden. Die Tomaten mit kochendem Wasser übergießen, häuten und entkernen. Tomaten in Würfel schneiden.

Melonenkugeln, Gurken- und Tomatenwürfel in eine Schüssel geben, etwas Salz und 2 El Minze darunter mischen und alles einige Minuten durchziehen lassen.

Inzwischen aus Öl, Aceto, restlicher Minze, Kreuzkümmel und Salz eine Vinaigrette herstellen. Über die Melonenmischung gießen und alles weitere 30 Minuten ziehen lassen.

Melonen anrichten und mit Minze garniert servieren.

Für 4 Portionen:

1/2 Cantaloupe-Melone

1/2 Salatgurke

3 Tomaten

Salz

3 El frisch gehackte Minze

3 El Olivenöl

2 El weißer Aceto balsamico

1/2 Tl gemahlener Kreuzkümmel

Minze zum Garnieren

Zubereitungszeit:
ca. 15 Minuten
(plus Zeit zum Marinieren)
Pro Portion: ca.102 kcal/426 kJ

Griechischer Gemüsesalat

Für 4 Portionen:

1 Kopfsalat

1 Tomate

1 kleine Schlangengurke

1 mittelgroße Zwiebel

1 Dose weiße Bohnen
(ca. 375 g)

350 g Artischockenherzen aus dem Glas

75 g Feta

2 Knoblauchzehen

1 El getrockneter Oregano

5 El fettarmes Joghurt-Dressing

Zubereitungszeit: ca. 15 Minuten
Pro Portion: ca. 400 kcal/1674 kJ

Salat waschen, trockenschleudern und in mundgerechte Stücke zupfen. Tomate waschen, Stielansatz entfernen und Fruchtfleisch würfeln.

Gurke schälen und in Würfel schneiden. Zwiebel schälen und in dünne Ringe schneiden.

Bohnen und Artischockenherzen abgießen und abtropfen lassen. Feta zerkrümeln. Knoblauchzehen schälen und fein hacken.

Alle Salatzutaten in einer Schüssel vermischen. Oregano und Dressing verrühren und unter den Salat heben.

Den Salat dekorativ auf Salatblättern anrichten und servieren.

Für 4 Portionen

500 g Möhren
2 Orangen
Saft von 3 Orangen
3 El Orangenblütenwasser
2 El Obstessig
4 El Pflanzenöl
1/2 Tl Salz
1/2 Tl weißer Pfeffer
1 Tl Zimt

Zubereitungszeit:
ca. 20 Minuten
(plus Zeit zum Ziehen)
Pro Portion: ca. 171 kcal/717 kJ

TIPP

Orangenblütenwasser bekommen Sie im Feinkostgeschäft oder im türkischen Lebensmittelladen.

Variation

Möhrensalat

... mit Zitrone

Möhrenraspel mit Zitronensaft beträufeln. Helle Trauben halbieren, entkernen und zu den Möhren gehen. Traubenkernöl mit Zitronensaft verrühren. Mit Salz, Pfeffer und Orangenschalenaroma abschmecken. Den Salat in der Sauce gut durchziehen lassen und mit Zitronenmelisse garniert servieren.

Möhrensalat mit Orangen

Die Möhren waschen, schälen und fein raspeln. Die Orangen schälen, die weißen Häutchen entfernen und die Filets herauslösen.

Das Orangenfruchtfleisch in kleine Würfel schneiden. Möhren und Orangen in eine Schüssel geben.

Orangensaft, -blütenwasser, Essig, Öl, Salz und Pfeffer in einer Schüssel verquirlen und über Möhren und Orangen geben.

Die Schüssel mit Folie abdecken und im Kühlschrank etwa 1 Stunde ziehen lassen. Den Möhrensalat vor dem Servieren mit Zimt betreuen.

Für 4 Portionen:

4 Chicoréestauden
(ca. 500 g)

2 rosa Grapefruits

175 g Mandarinenfilets
aus der Dose

2 El Honig

1 Tl Senf

2 El Paprikamark

1 El Sojasauce

Salz

Tabasco

Worcestersauce

Zubereitungszeit:
ca. 20 Minuten
Pro Portion: ca.146 kcal/614 kJ

Chicoréesalat
mit Mandarinen-Honig-Dressing

Den Chicorée putzen und waschen. Den Strunk jeweils keilförmig herausschneiden und die Stauden in ca. 2 cm breite Streifen schneiden.

Die Grapefruits mit einem scharfen Messer so schälen, dass die weiße Haut ganz entfernt wird. Die Filets zwischen den Trennhäuten vorsichtig herauslösen. Die Grapefruitfilets in einer Schüssel mit dem Chicorée mischen.

Die Mandarinen in einem Sieb gut abtropfen lassen. Den Saft auffangen. Die Mandarinen unter den Salat heben.

Senf und Paprikamark mit 70 ml Mandarinensaft verrühren. Die Sauce mit Salz, Tabasco und Worcestersauce abschmecken. Den Salat mit der Sauce begießen. Unterheben und servieren.

Paprikasalat mit Tomaten

Für 4 Portionen

2 grüne Paprikaschoten

1 gelbe Paprikaschote

3 große Tomaten

1 Knoblauchzehe

1 El Sherryessig

5 El Olivenöl

1/2 Tl Zucker

Salz

Schwarzer Pfeffer

1/2 Bund Koriander

Zubereitungszeit: ca. 45 Minuten
(plus Kühlzeit)
Pro Portion: ca. 125 kcal/525 kJ

TIPP

Dieser pikante Salat ist eine hervorragende Beilage zu gebratenem Fleisch und Fisch. Reichen Sie dazu frisch gebackenes Fladenbrot.

Backofen auf 200 °C (Umluft 180 °C) vorheizen. Die Paprikaschoten putzen, waschen, halbieren und entkernen. Mit der Schnittfläche nach unten auf ein Backblech legen und im Ofen backen, bis sich die Haut dunkel verfärbt.

Die Paprikaschoten aus dem Ofen nehmen und abkühlen lassen.

Häuten und in Würfel schneiden.

Die Tomaten überbrühen, von Stielansatz, Haut und Kernen befreien und das Fruchtfleisch in 2 cm große Stücke schneiden. Die Knoblauchzehe schälen und zerdrücken.

Tomaten und Paprika in eine Schüssel geben. Aus Knoblauch, Essig, Öl, Zucker, Salz und Pfeffer ein Dressing rühren und über das Gemüse gießen.

Den Salat 10 Minuten ziehen lassen. Koriander waschen, trockenschütteln und hacken. Paprikasalat mit Koriander bestreut servieren.

Für 4 Portionen:

2 Schlangengurken

1/2 Bund Minze

1 El Weißweinessig

4 El Distelöl

1 El Orangensaft

Salz

Schwarzer Pfeffer

1 Tl Orangenblütenwasser

Orangenzesten

Zubereitungszeit:
ca. 20 Minuten
(plus Zeit zum Ziehen)
Pro Portion: ca. 86 kcal/360 kJ

Variation

Gurkensalat

... mit Rhabarber

Rhabarber schälen und in Scheiben schneiden. Dann auf einer Platte verteilen, mit Zucker bestreuen und Saft ziehen lassen. Salatgurke hobeln und mit den Rhabarberscheiben mischen. Aus dem Obstsaft, Olivenöl und Apfelessig ein Dressing rühren, würzen und zusammen anrichten.

Gurkensalat mit Minze

Die Gurken waschen, schälen und in feine Scheiben hobeln. Die Minze waschen, trockenschütteln, die Blätter von den Stängeln zupfen und fein hacken. Gurken und Minze in eine Schüssel geben und mischen.

Aus Essig, Öl, Orangensaft, Salz und Pfeffer sowie dem Orangenblütenwasser ein Dressing bereiten und über die Gurken gießen. Alles gut durchmischen und ziehen lassen.

Die Orangenschale in feine Streifen schneiden und kurz in kochendes Wasser geben. Den Gurkensalat vor dem Servieren mit Orangenzesten garnieren.

Schwedischer Pilzsalat

Die Pilze putzen, waschen und in Stücke schneiden. Die Frühlingszwiebeln putzen, waschen und in Ringe schneiden. Die Butter in einer Pfanne erhitzen und die Pilze mit den Frühlingszwiebeln darin andünsten. Mit Salz und Pfeffer würzen.

Den Endiviensalat putzen, waschen, den Strunk entfernen und den Salat in Streifen schneiden. Den Chicoreé putzen, waschen, der Länge nach halbieren und den Strunk entfernen. Blätter in Streifen schneiden. Den Feldsalat putzen, waschen und trocknen.

Die Tomaten waschen und halbieren. Die Salatzutaten mit den abgetropften Pilzen in eine Schüssel geben und vorsichtig mischen.

Den Essig mit Zucker, Senf, Senfpulver und Haselnussöl mischen.

Die Petersilie waschen, trocknen, fein hacken und die Hälfte unter die Salatsauce rühren. Alles über den Salat träufeln und mit der restlichen Petersilie garniert servieren.

Für 4 Portionen::

500 g frische Waldpilze (Steinpilze, Maronen, Pfifferlinge)
1 Bund Frühlingszwiebeln
50 g Butter
Salz, Pfeffer
200 g Endiviensalat
2 Chicoreéstauden
100 g Feldsalat
100 g Kirschtomaten
5 El Himbeeressig
3 El Rohrzucker
4 El Senf
1 Tl Senfpulver
80 ml Haselnussöl
1 Bund Petersilie

Zubereitungszeit:
ca. 35 Minuten
372 kcal/1562 kJ

Für 4 Portionen:

Für den Salat:

4 Salatherzen

150 g Walnüsse

2 Williamsbirnen

6 El Birnensaft

6 El Ananassaft

3 El Öl

1 Tl Sahnemeerrettich

1 Tl grober Senf

Salz

Zitronenpfeffer

1 Prise Zucker

5 El Crème double

Korianderpulver

4 Scheiben Speck

Zubereitungszeit: ca. 20 Min.
Pro Portion: ca. 587 kcal/2468 kJ

Kerniger Birnen-Speck-Salat

Die Salatherzen halbieren, waschen und trocknen. Einige Walnüsse beiseite legen, den Rest grob hacken.

Die Birnen schälen, halbieren, das Kerngehäuse entfernen, vierteln und in dünne Spalten schneiden. Mit den Salatherzen auf Tellern anrichten. Gehackte Walnüsse darüber streuen.

Je 2 El Birnen- und Ananassaft mit Öl, Meerrettich, Senf, etwas Salz, Pfeffer und Zucker in einer Schüssel verrühren. Die Marinade über die Salatherzen und die Birnen träufeln.

Crème double mit dem restlichen Saft verrühren und mit Salz, Zitronenpfeffer und Korianderpulver gut abschmecken. Den Speck in einer Pfanne ohne Fett knusprig braten. Die Creme über den Salat geben und die restlichen Walnüsse mit den Speckscheiben darauf anrichten.

Muschel-Spargel-Salat

Den Spargel putzen und waschen. Das untere Ende schälen.

Die Spargelstangen anschließend in ausreichend kochendem Salzwasser mit 1 Prise Zucker, der Butter und dem Zitronensaft ca. 20 Minuten garen.

Die Stangen herausnehmen, abtropfen lassen und in mundgerechte Stücke zupfen. Den Salat putzen, waschen und in breite Streifen schneiden.

Aus dem Zitronensaft, dem Senf und dem Walnussöl eine Salatsauce rühren. Mit Salz abschmecken.

Den Dill waschen, trocknen und fein hacken. Anschließend unter die Salatsauce mischen. Die Muscheln in ein Sieb geben und gut abtropfen lassen.

Den Blattsalat mit den Spargelstücken und den Muscheln anrichten. Mit der Salatsauce beträufeln und mit dem Graved Lachs servieren.

Für 4 Portionen:

Für den Salat:
800 g grüner Spargel
Salz
Zucker
1 El Butter
Saft von 1 Zitrone
1 Kopf Lollo rosso
2 El Zitronensaft
1 El Kräutersenf
3 El Walnussöl
1 Bund Dill
250 g Venusmuscheln aus dem Glas
4 Scheiben Graved Lachs

Zubereitungszeit: ca. 50 Min.
Pro Portion: ca. 307 kcal/1289 kJ

Flusskrebs-Salat

Für 4 Portionen:

250 g Romanesco

250 g Brokkoli

100 g grüne Bohnen

Salz

4 Baby-Ananas

2 Orangen

4 Mandarinen

150 g Staudensellerie

Je 1/2 Bund Estragon und Dill

125 ml Olivenöl

4 El Zitronensaft

400 g Flusskrebsfleisch aus der Dose

Pfeffer

Worcestersauce

Zubereitungszeit:
ca. 20 Minuten
Pro Portion: ca.505 kcal/2112 kJ

Romanesco und Brokkoli putzen, waschen und in Röschen teilen. Die Bohnen putzen, waschen und in Stücke schneiden. Alles ca. 3 Minuten in Salzwasser blanchieren. Abgießen, abschrecken und abtropfen lassen.

In der Zwischenzeit von den Baby-Ananas die Deckel abschneiden und die Früchte aushöhlen. Das Fruchtfleisch klein schneiden. Orangen und Mandarinen schälen, die weiße Haut entfernen und die einzelnen Filets heraustrennen.

Den Staudensellerie putzen, waschen und in Stücke schneiden. Die Früchte und den Staudensellerie mit dem Romanesco und dem Brokkoli in eine Schüssel geben und vermengen.

Die Kräuter waschen, trocknen und fein hacken. Mit dem Öl und dem Zitronensaft mischen. Das Flusskrebsfleisch in Stücke schneiden und ebenfalls unterrühren. Alles mit Salz, Pfeffer und Worcestersauce abschmecken. Den Salat portionsweise in die Ananas füllen und servieren.

Fruchtiger Chicorée-Salat

Den Chicorée waschen, trocknen, der Länge nach aufschneiden und den Strunk herausschneiden. Blätter in Streifen schneiden. Die Trauben waschen, halbieren und entkernen. Die Mango schälen, halbieren, entkernen und das Fruchtfleisch in Spalten schneiden. Die Melone halbieren, entkernen und das Fruchtfleisch in Kugeln ausstechen.

Die Datteln halbieren, entkernen und in Streifen schneiden. Alle Salatzutaten in eine Schüssel geben. Buttermilch mit Grappa, Crème double und Mangosaft verrühren und mit den Gewürzen abschmecken. Über den Salat geben und alles mit den Pecannüssen und den Blüten garniert servieren.

Für 4 Portionen:

2 Chicoréestauden
400 g Trauben
1 Mango
1/2 Honigmelone
100 g getrocknete Datteln
250 ml Buttermilch
5 El Grappa
2 El Crème double
3 El Mangosaft
Zitronenpfeffer
Kardamom- und Nelken-
pulver
50 g gehackte Pecannüsse
Blüten zum Garnieren

Zubereitungszeit:
ca. 30 Minuten
Pro Portion: ca. 261 kcal/1097 kJ

Für 4 Portionen:

Für den Salat:

250 g Lauch

250 g Shrimps (TK)

2 rote Zwiebeln

100 g durchwachsener Speck

200 g Schmand

Saft von 1 Orange

2 El Zucker

Salz

Pfeffer

50 g gehackte Walnusskerne

Zubereitungszeit: ca. 25 Min.
354 kcal/1487 kJ

Produktinformation

Die Lauchzwiebeln, vom Lateinischen „Porrum" auch Porree genannt, gehören zu den mildesten Zwiebelgemüsen. Besonders in Verbindung mit Shrimps entsteht eine fruchtige, wohl schmeckende Speise, die den Körper mit wichtigen Mineralstoffen versorgt und die Lebensgeister weckt.

Shrimps-Lauch-Salat

Den Lauch putzen, waschen und in dünne Ringe schneiden. Die Shrimps waschen und trocknen.

Die Zwiebeln schälen und in Ringe schneiden. Den Speck in dünne Streifen schneiden und in einer Pfanne auslassen.

Den Schmand mit dem Orangensaft und dem Zucker verrühren. Mit Salz und Pfeffer abschmecken.

Die Salatzutaten mit dem Schmand beträufeln und mit den gehackten Walnusskernen garnieren.

Für 4 Portionen:

Für den Salat:

250 g Wildkräuter

1/4 Bund Basilikum

1/4 Bund glatte Petersilie

1 Bund Frühlingszwiebeln

3 Knoblauchzehen

6 El Öl

Salz

Zucker

100 g Pinienkerne

175 g frische Ringelblumenblüten

Stiefmütterchenblüten zum
Garnieren

Zubereitungszeit: ca. 25 Min.
Pro Portion: ca. 454 kcal/1906 kJ

Wildkräuter mit Stiefmütterchen

Die Wildkräuter waschen und trocknen. Die Kräuter waschen, trocknen und grob zerkleinern.

Die Frühlingszwiebeln waschen, trocknen und in dünne Ringe schneiden.

Die Knoblauchzehen schälen und durchpressen. Das Öl in einer Pfanne erhitzen und den Knoblauch mit den Frühlingszwiebeln leicht andünsten. Mit Salz und Zucker würzen und die Pinienkerne dazugeben.

Die Ringelblumenblüten waschen und die einzelnen Blättchen abzupfen. Die Wildkräuter und die Blättchen vermengen und alles mit der Knoblauchmasse beträufeln.

Mit den Stiefmütterchenblüten garniert servieren.

Ein Fest für Augen und Gaumen! Die kräftigen Farben der Stiefmütterchen und die frische Würze der Wildkräuter sind eine willkommene Alternative zu den herkömmlichen Küchenkräutern und beleben den Körper durch ihre Vitamine und ätherischen Öle.

Für 4 Portionen:

1/4 Ananas

Gemischter grüner Salat
(ca. 500 g)

1 mittelgroße Karotte

4 Hähnchenbrustfilets
(ca. 500 g)

Etwas Fett zum Backen

150 g fettarmer Ananas-
joghurt

2 El Ananas- oder
Orangensaft

1/2 Tl Currypulver

1/8 Tl schwarzer Pfeffer

Zubereitungszeit:
 ca. 45 Minuten
Pro Portion: ca. 221 kcal/925 kJ

Ananas-Hähnchen-Salat

Ananas schälen und in Würfel schneiden.

Salat waschen, trockenschleudern und in mundgerechte Stücke zupfen.

Karotte waschen, schälen und grob raspeln.

Hähnchenbrustfilets waschen und trockentupfen. In einer beschichteten Pfanne etwas Fett erhitzen und die Hähnchenbrustfilets darin von beiden
Seiten ca. 5–6 Minuten gut durchbraten.

Die Ananasstücke in die Pfanne geben und weitere 5 Minuten mitbraten.

Den Salat auf 4 Teller verteilen. Hähnchenfleisch in Scheiben schneiden
und mit Ananas und Karotten darüber legen.

Für das Dressing Joghurt, Ananassaft, Curry und Pfeffer verrühren und
über den Salat träufeln.

Spinat-Speck-Salat

Spinat verlesen und waschen. Trockenschleudern. Zwiebeln waschen und fein hacken.

Speck in einer beschichteten Pfanne knusprig braten.

Essig, Zucker, Salz und Pfeffer in die Pfanne geben, erhitzen und rühren, bis der Zucker sich aufgelöst hat. Pfanne vom Herd nehmen.

Spinat und Zwiebeln zur heißen Speckmischung geben. So lange rühren, ca. 1–2 Minuten, bis der Spinat zusammenfällt. Den Spinat-Speck-Salat auf Teller anrichten und noch warm servieren.

Für 4 Portionen:

250 g frischer Spinat
2 Frühlingszwiebeln
4 Scheiben Frühstücksspeck
4 El Weißweinessig
3 Tl Zucker
1/4 Tl Salz
1/8 Tl Pfeffer

Zubereitungszeit:
ca. 20 Minuten
Pro Portion: ca. 65 kcal/272 kJ

Für 4 Portionen

1 Knoblauchzehe

4 Frühlingszwiebeln

2 Zucchini (ca. 300 g)

250 g Kürbisfleisch

1 rote Paprikaschote

400 g Sojabohnenkeime

1 El dunkle Sojasauce

2 Tl süße Chilisauce

2 El trockener Sherry

1 El brauner Zucker

1 El Weißweinessig

Salz, Pfeffer

2 El Sonnenblumenöl

1 El Sesamöl

1–2 Tl Sesamsamen zum Garnieren

Zubereitungszeit:
ca. 25 Minuten
(plus Bratzeit)
Pro Portion: ca. 285 kcal/1197 kJ

Chinasalat

Den Knoblauch schälen und zerdrücken. Die Frühlingszwiebeln putzen, waschen und in feine Ringe schneiden. Zucchini putzen, waschen und in Stifte schneiden. Kürbisfleisch ebenfalls in Streifen schneiden. Paprika putzen, waschen, entkernen und in Streifen schneiden. Die Bohnenkeime waschen und abtropfen lassen.

Soja-, Chilisauce, Sherry, Zucker, Essig, Salz und Pfeffer miteinander verrühren. Das Sonnenblumenöl in einem Wok erhitzen.

Knoblauch und Frühlingszwiebeln in den Wok geben und 1–2 Minuten braten. Zucchini, Kürbis, Paprika zugeben und alles unter Rühren weitere 2 Minuten braten. Die Saucenmischung dazugeben und aufkochen lassen.

Die Bohnenkeime hinzufügen und ebenfalls 2 Minuten mitbraten. Gut rühren, damit alle Gemüse von der Sauce überzogen werden. Das Sesamöl über das Gemüse träufeln und die Sesamkörner darüber streuen. Den Salat auf Teller anrichten und servieren.

Für 4 Portionen:

4 Zucchini (ca. 800 g)

Salz

Pfeffer

10 El Olivenöl

4 Tomaten

2 Frühlingszwiebeln

1 Bund Thymian

100 g Cashewkerne

1 Kopf Radicchio

4 El Aceto Balsamico

Zubereitungszeit:
ca. 30 Minuten
(plus Bratzeit)
Pro Portion: ca. 448 kcal/1880 kJ

Zucchinisalat mit Cashewkernen

Die Zucchini putzen, waschen, trocknen und in Scheiben schneiden. Salzen und pfeffern. 3 El Öl in einer Pfanne erhitzen und die Zucchinischeiben darin kurz anbraten. Die Tomaten mit kochendem Wasser übergießen, häuten, die Stielansätze entfernen, Tomaten entkernen und das Fruchtfleisch würfeln.

Die Frühlingszwiebeln putzen, waschen und in feine Ringe schneiden. Thymian waschen, trockenschütteln und einige Zweige zum Garnieren beiseite legen. Die Thymianblättchen von den Zweigen zupfen.

Die Cashewkerne in einer Pfanne ohne Fett rösten, bis sie duften. Den Radicchio waschen, trockenschleudern und die Blätter auf Teller verteilen. Die Zucchinischeiben darauf legen und mit den Tomatenwürfeln belegen.

Aus Zwiebeln, Thymian, restlichem Olivenöl und Balsamico ein Dressing bereiten und mit Salz und Pfeffer abschmecken.

Das Dressing über den Salat träufeln und zuletzt die Cashewkerne darüber streuen. Mit Thymianzweigen garniert servieren. Dazu schmeckt Knoblauchbaguette.

Ideen fürs Buffet

Salat

... mit Tomaten

Tomaten waschen, überbrühen, häuten und Spalten schneiden. Frühlingszwiebel- und Zwiebelringe mit den Tomaten mischen. Olivenöl und Weißweinessig verrühren und mit Salz, Pfeffer, Zwiebel- und Knoblauchpulver abschmecken. Alles gut ziehen lassen.

... mit Endivie

Endiviensalat waschen, trocken schütteln und in mundgerechte Stücke zupfen. Rote Paprika in Streifen schneiden und mit Perlzwiebeln zum Endiviensalat geben. Aus Öl, Essig, Salz und Pfeffer eine Sauce rühren und den Salat darin gut durchziehen lassen.

Artischockensalat „Cavour"

Für 4 Portionen:

350 g Artischockenböden aus der Dose

400 g Römersalat

5 Eiertomaten

100 g gehobelter Parmesan

1/4 Bund Dill

1/4 Bund Petersilie

200 ml Gemüsefond

50 g weiche Trüffelbutter

100 g Tomatenmark

125 ml Madeira

4 El Weinbrand

1/2 Tl Ingwerpulver

Salz

Zitronenpfeffer

20 g Trüffel aus dem Glas

Zubereitungszeit: ca. 20 Minuten
Pro Portion: ca. 244 kcal/1024 kJ

TIPP:

Artischocken sind nicht nur eine wahre Delikatesse, sondern zudem auch überaus magen-, leber- und gallenfreundlich. Bevor Sie gekocht werden, wird ihr Stiel herausgedreht. Die fleischigen Blütenböden sind aber auch in Dosen und Gläsern erhältlich.

Die Artischockenböden in einem Sieb abtropfen lassen und in Stücke schneiden.

Den Römersalat putzen, waschen und in Streifen schneiden. Die Tomaten putzen, waschen, halbieren und in schmale Spalten schneiden.

Den Parmesan mit den Salatzutaten in eine Schüssel geben und alles mischen.

Die Kräuter waschen, trocknen, fein hacken und mit dem warmen Fond, der Trüffelbutter, dem Tomatenmark, Madeira, Weinbrand und den Gewürzen verrühren.

Den Trüffel in dünne Scheiben schneiden. Die Salatzutaten auf Tellern anrichten und mit der Sauce beträufeln. Mit Trüffelscheiben garniert servieren.

Für 4 Portionen:

1 Cantaloupe-Melone
1/2 Zucchini
1/2 Schlangengurke
Saft von 1 Zitrone
2 milde eingelegte Peperoni
125 g Naturjoghurt
2 El Pflanzenöl
2 El frisch gehackte Kräuter
(z. B. Dill, Zitronenmelisse,
Thymian, Petersilie oder
Schnittlauch)
Salz

Zubereitungszeit:
ca. 20 Minuten
Pro Portion: ca. 96 kcal/402 kJ

TIPP:

Dieser Salat ist eine erfrischende Köstlichkeit für heiße Sommertage. Sie können auch jede andere Melonensorte verwenden.

Zucchinisalat mit Melone

Die Cantaloupe-Melone schälen und die Kerne entfernen. Die Zucchini putzen, waschen. Die Gurke schälen. Alles in kleine Würfel schneiden, mit dem Saft einer halben Zitrone beträufeln und beiseite stellen. Die Peperoni abtropfen lassen, in Ringe schneiden und unterheben.

Aus Joghurt, Öl, restlichem Zitronensaft, Kräutern und Salz ein Salatdressing herstellen und den Zucchini-Melonen-Salat damit überziehen. Gut durchrühren, anrichten und servieren.

Raffinierter Avocado-Salat

Die Brombeeren waschen und trocknen. Die Avocados halbieren, entkernen, schälen und in schmale Spalten schneiden. Mit dem Zitronensaft beträufeln.

Die Champignons putzen, waschen und halbieren. Die Butter in einer Pfanne erhitzen und die Champignons darin andünsten. Mit Salz und Zitronenpfeffer würzen.

Die Tomaten putzen, waschen, halbieren, zu den Pilzen geben und ca. 3 Minuten ziehen lassen. Aus der Pfanne nehmen und abkühlen lassen.

Die Brombeeren und die Avocadospalten unterheben. Die Saftmischung mit dem Kiwipüree, dem Kürbiskernöl und der Gemüsebrühe mischen. Mit Salz und Pfeffer abschmecken. Die Sauce über den Salat geben und mit Kiwischeiben garniert servieren.

Für 4 Portionen:

200 g Brombeeren
3 Avocados
2 El Zitronensaft
200 g Champignons
2 El Butter
Salz
2 El Zitronenpfeffer
150 g Cherrytomaten
4 El Grapefruitsaft
3 El Bananensaft
3 El Grenadine
3 pürierte Kiwi
6 El Kürbiskernöl
125 ml Gemüsebrühe
Pfeffer

Zubereitungszeit:
ca. 35 Minuten
Pro Portion: ca. 390 kcal/1639 kJ

TIPP:

Aus Avocados lässt sich mit wenig Aufwand Guacamole zubereiten, ein mexikanischer Dip aus pürierten Avocados, fein gehackten, geschälten Tomaten, Zwiebeln, frischen Kräutern, Salz, Knoblauch und Limettensaft – passt ideal zu Meeresfrüchten, Salaten oder Tortillas.

Melone mit Hering

Für 6 Portionen

1 Netzmelone (ca. 750 g)
6 Heringsfilets
100 g Romanasalat
150 g saure Sahne
Saft von 1 Zitrone
Salz
Paprika
Frisch gemahlener Pfeffer
Dill zum Garnieren

Zubereitungszeit:
ca. 15 Minuten
Pro Portion: ca. 388 kcal/1628 kJ

Die Melone halbieren, schälen, mit einem Löffel die Kerne entfernen und das Fruchtfleisch in Stücke schneiden.

Die Heringsfilets waschen, trocknen und in mundgerechte Stücke schneiden. Den Salat waschen, trockenschleudern und in kleine Stücke zupfen.

Melone, Hering und Salat auf Teller anrichten. Aus saurer Sahne, Zitronensaft und den Gewürzen eine Salatsauce bereiten, über den Salat geben und mit Dill garniert sofort servieren.

TIPP:

Bereiten Sie diesen Salat statt mit Hering mit gekochten Shrimps oder Nordseekrabben zu und verfeinern Sie ihn mit frisch geriebenem Ingwer.

Für 4 Portionen

2 Chicorée

4 Tomaten

2 Frühlingszwiebeln

1/2 reife Honigmelone

4 El Olivenöl

Saft von 1 Zitrone

1 Tl Dijonsenf

1 Prise Zucker

Salz und Pfeffer nach Geschmack

Schnittlauch zum Garnieren

Zubereitungszeit:
ca. 10 Minuten
Pro Portion: ca. 125 kcal/523 kJ

Chicorée-Melonen-Salat

Die Chicoréestauden putzen, waschen, den bitteren Kern herausschneiden und in Ringe schneiden. Die Tomaten waschen, trocknen, Stielansätze entfernen und achteln. Frühlingszwiebeln putzen, waschen und in Ringe schneiden.

Mit einem Kugelausstecher etwa 20 Bällchen aus der Melone herauslösen. Chicorée, Tomaten, Frühlingszwiebeln und Melonenbällchen in eine große Schüssel geben.

Aus Olivenöl, Zitronensaft, Senf und Zucker eine Salatsauce herstellen und über den Salat geben. Alles vermischen und mit Salz und Pfeffer abschmecken. Den Salat in der Melonenhälfte anrichten und mit Schnittlauch garniert servieren.

Für 4 Portionen:

1 Muskatkürbis (ca. 500 g)

1 Schlangengurke

1 Birne

1 Zwiebel

2–3 El Apfelessig

3 El Sonnenblumenöl

1/2 Tl Zucker

Salz

Pfeffer

Paprikapulver

Frisch gehackte Petersilie
zum Garnieren

Zubereitungszeit:
ca. 20 Minuten
(plus Ruhezeit)
Pro Portion: ca. 142 kcal/596 kJ

Variation

Salat

… mit Äpfeln

Süße Apfelspalten mit
Zitronensaft beträufeln.
Rote und weiße Zwiebeln
in Stücke schneiden und
mit dem Obst mischen.
Distelöl mit Apfelessig
verrühren und mit Zucker,
Salz und Pfeffer abschme-
cken. Minzblättchen vor-
sichtig unterheben und
den Salat darin gut durchziehen lassen.

Kürbis-Gurken-Salat

Den Kürbis schälen, Kerne und Innenfasern entfernen, in Stücke schneiden und dann in Scheiben hobeln. Die Gurke schälen und ebenfalls hobeln.

Die Birne waschen, schälen, das Kerngehäuse entfernen und das Birnen-
fruchtfleisch in kleine Stücke schneiden. Die Zwiebel schälen und in sehr feine Würfel schneiden.

Gemüse und Obst in eine Schüssel geben. Aus den Saucenzutaten ein
Dressing bereiten und darüber gießen. Den Salat ca. 30 Minuten ziehen lassen, dann mit Petersilie bestreut servieren.

Zucchini mit Vinaigrette

Die Zucchini putzen und waschen, anschließend in feine Scheiben schneiden. Dazu am besten einen Hobel benutzen.

Die Zucchinischeiben mit Salz bestreuen und in einem Topf mit wenig Wasser ca. 5 Minuten dämpfen. Sie sollten noch Biss haben.

Zucchini aus dem Topf heben und in einem Sieb abtropfen und abkühlen lassen.

Aus Essig, Öl, Ahornsirup und Pfeffer eine Vinaigrette herstellen.

Zucchini in eine Schüssel geben und mit der Vinaigrette übergießen. Den Zucchinisalat mit Minze garniert servieren.

Für 4 Portionen:

2–3 gelbe Zucchini
(ca. 400 g)
Salz
4 El Weißweinessig
2 El Traubenkernöl
2 Tl Ahornsirup
Frisch gemahlener Pfeffer
Minzeblätter zum Garnieren

Zubereitungszeit:
ca. 10 Minuten
(plus Garzeit)
Pro Portion: ca. 56 kcal/235 kJ

Rindfleischsalat

Für 4 Portionen:

1 großer Kopfsalat
2 El frisch gehacktes Basilikum
2 mittelgroße Karotten
2 El frisch gehackte Petersilie
1 gelbe Paprikaschote
150 g Cherrytomaten
3 El frisch geriebener Parmesan
200 g Steakfleisch
Salz
Pfeffer
75 g fettarmer Naturjoghurt
50 ml Buttermilch
3 El fein gehackte Zwiebel
3 El Salatdressing
1 El Weißweinessig
1 zerdrückte Knoblauchzehe
Salz
Pfeffer

Zubereitungszeit: ca. 35 Minuten
Pro Portion: ca. 226 kcal/946 kJ

TIPP:

Statt des Rindfleisches können Sie auch fettarmes Geflügelfleisch nehmen.

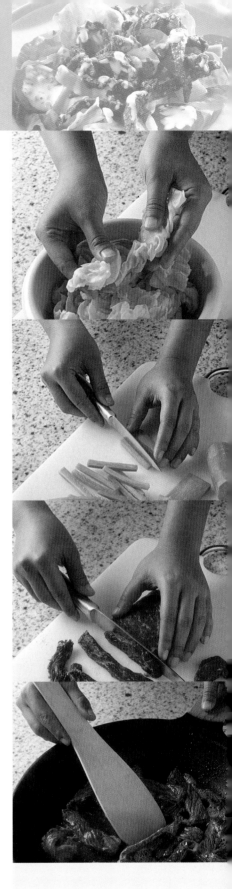

Salat waschen, trockenschleudern und Blätter in Stücke zupfen.

Karotten schälen und in mundgerechte Stifte schneiden. Petersilie waschen, trocknen und fein hacken.

Paprika putzen, waschen und in Würfel schneiden. Tomaten waschen und halbieren. Gemüse auf 4 Teller verteilen. Parmesan reiben.

Fleisch waschen, trocknen und in Streifen schneiden. Eine beschichtete Pfanne erwärmen und leicht einfetten. Fleischstreifen darin 2–3 Minuten von allen Seiten anbraten, bis das Fleisch noch leicht rosa ist.

Pfanne vom Herd nehmen und die Steaks mit Salz und Pfeffer würzen. Basilikum einrühren.

Die warmen Fleischstreifen über das Gemüse legen. Aus Joghurt, Buttermilch, Parmesan, Zwiebel, Salatdressing, Petersilie, Essig, Knoblauch, Salz und Pfeffer eine Dressing bereiten und zum Fleisch servieren.

Griechischer Kürbissalat

Für 4 Portionen

1 kleiner Kürbis (ca. 400 g)

1 Gemüsezwiebel

Je 1 grüne und rote Paprikaschote

2–4 milde grüne Peperoni

2 Tomaten

2 Knoblauchzehen

5 El Olivenöl

100 ml Gemüsebrühe

1 El Zitronensaft

1 El Weißweinessig

Salz, Pfeffer

2 El frisch gehackte glatte
Petersilie

Schwarze Oliven nach
Geschmack

Zubereitungszeit: ca. 30 Minuten
(plus Zeit zum Ausbacken)
Pro Portion: ca. 237 kcal/993 kJ

Den Kürbis schälen, entkernen und Innenfasern entfernen. Fruchtfleisch in Würfel schneiden.

Zwiebel schälen und hacken.

Die Paprikaschoten putzen, waschen, trocknen, entkernen und in Streifen schneiden.

Peperonis waschen, trocknen und in feine Ringe schneiden.

Die Tomaten waschen, trocknen, von den Stielansätzen befreien und in Scheiben schneiden.

Knoblauch schälen und fein ha-cken.

2 El Olivenöl erhitzen und die Kür-biswürfel darin andünsten. Gemüsebrü-he zugeben und den Kürbis ca. 5 Minu-ten schmoren, so dass er noch Biss hat. Abkühlen lassen.

Aus Zitronensaft, Essig, restlichem Olivenöl und den Gewürzen ein Dres-sing herstellen.

Kürbiswürfel sowie das übrige Ge-müse in eine Schüssel geben und das Dressing darüber gießen. Petersilie zufü-gen und unterrühren. Zuletzt schwarze Oliven nach Geschmack dazugeben. Den griechischen Kürbissalat in Schäl-chen anrichten und servieren.

Für 4 Portionen:

2 El Fischsauce (FP)
1 El Palmzucker
2 El Limonensaft
2 Knoblauchzehen
1/2 Bund Frühlingszwiebeln
100 g Zuckerschoten
1 El Sesamöl
1 Grapefruit
400 g Wassermelone
115 g geschälte Garnelen
2 rote Chilischoten
1/2 Bund Minze
3 El ungesalzene Erdnüsse

Zubereitungszeit:
ca. 25 Minuten
Pro Portion: ca. 283 kcal/1191 kJ

Grapefruit-Garnelen-Salat

Die Fischsauce mit dem Palmzucker und dem Limonensaft verrühren. Die Knoblauchzehen schälen und fein hacken. Die Frühlingszwiebeln putzen, waschen und in feine Ringe schneiden. Die Zuckerschoten putzen, waschen und trocknen.

Das Öl erhitzen und die Knoblauchzehen mit den Frühlingszwiebeln und den Zuckerschoten darin ca. 3–5 Minuten unter Rühren andünsten. Herausnehmen und auskühlen lassen.

Die Grapefruit schälen und die Filets herauslösen. Die Wassermelone waschen, vierteln, schälen, entkernen und das Fruchtfleisch in kleine Stücke schneiden. Das Obst mit den Garnelen in einer großen Schüssel mischen.

Die Chilischoten waschen, längs halbieren, entkernen und in feine Streifen schneiden. Minze waschen, trocknen und in feine Streifen schneiden. Beides zum Salat geben und die Salatsauce darüber geben.

Die Erdnüsse grob hacken und in einer Pfanne ohne Fett rösten. Alles anrichten.

Für 4 Portionen:

250 g Feldsalat

2 Zwiebeln

200 g Mozzarella

3 El Sherryessig

2 El Olivenöl

1 Tl Dijon-Senf

Salz

Pfeffer aus der Mühle

1 Bund Petersilie

100 g durchwachsener Speck

1 El Olivenöl

Zubereitungszeit:
ca. 20 Minuten
Pro Portion: ca. 263 kcal/1105 kJ

Feldsalat Nicola

Den Feldsalat waschen, putzen und trockenschleudern. Die Zwiebel schälen und in Würfel schneiden. Den Mozzarella ebenfalls in Würfel schneiden.

Den Essig und das Olivenöl mit dem Senf verrühren. Mit Salz und Pfeffer würzen. Die Sauce über die Salatzutaten geben und durchziehen lassen.

Die Petersilie waschen, trockenschütteln und die Blättchen grob hacken.

Den Speck in feine Streifen schneiden.

Das Öl in einer Pfanne erhitzen und die Speckwürfel darin knusprig auslassen. Auf Küchenpapier abtropfen lassen.

Den Salat auf Teller verteilen und mit dem Speck und Petersilie bestreut servieren. Dazu passt Landbrot.

Für 4 Portionen

2 große Salatgurken

Salz

500 g Joghurt

1 El Olivenöl

1–2 Knoblauchzehen

1 El Essig

1 Tl Minze

1 Bund gehackter frischer Dill

Zubereitungszeit:
ca. 20 Minuten
Pro Portion: ca. 184 kcal/736 kJ

Gurkensalat mit Joghurtsauce

Die Gurken schälen und in kleine Würfel schneiden. Die Gurkenwürfel in ein Sieb geben und mit Salz bestreuen, so dass die entstehende Flüssigkeit abtropfen kann.

Den Joghurt mit so viel Wasser verrühren, dass er weder zu dick noch zu flüssig ist, sondern schön cremig.

Die Knoblauchzehen schälen und mit etwas Salz zerdrücken.

Die abgetropften Gurken in einer Schüssel mit den restlichen Zutaten mischen. Mit Minze garniert servieren.

Hirtensalat

Die Tomaten mit kochendem Wasser übergießen und enthäuten. Dabei die Stielansätze entfernen. Tomaten in Stücke schneiden.

Die Gurken schälen und würfeln. Die Paprika putzen, waschen, entkernen und fein hacken. Die Lauchzwiebeln putzen, waschen und hacken. Alle Salatzutaten außer Radieschen und Oliven in eine Schüssel geben.

Aus Olivenöl, Zitronensaft, Essig und Salz ein Dressing herstellen, über den Salat geben und unterheben.

Die Radieschen waschen und in Scheiben schneiden. Den Salat mit Radieschenscheiben und Oliven garniert servieren. Dazu passt türkisches Fladenbrot und ein Glas Ayran.

Für 4 Portionen

4 Tomaten

3 Frühlingszwiebeln

2 Salatgurken

3 grüne Paprikaschoten

1 Bund gehackte frische Petersilie

100 ml Olivenöl

Saft von 1 Zitrone

1 El Essig

Salz

16 schwarze Oliven

1/2 Bund Radieschen

Zubereitungszeit:
ca. 20 Minuten
Pro Portion: ca. 323 kcal/1356 kJ

Feldsalat mit Melone und Hähnchenbrust

Für 4 Portionen

4 Hähnchenbrustfilets
Edelsüßes Paprikapulver
Salz,
Pfeffer
2 El Pflanzenöl
1/2 kleine Cantaloupe-Melone
1 kleine Honigmelone
4 Frühlingszwiebeln
2 Tomaten
400 g Feldsalat
Melonensaft
1 El Honig
2 El Pflanzenöl
2 El Weißweinessig

Zubereitungszeit: ca. 20 Minuten
(plus Bratzeit)
Pro Portion: ca. 293 kcal/1229 kJ

Die Hähnchenbrustfilets waschen, trocknen und mit Salz, Pfeffer und Paprikapulver einreiben.

In einer Pfanne das Öl erhitzen und die Hähnchenbrustfilets darin von beiden Seiten ca. 3 Minuten gut durchbraten. Aus der Pfanne nehmen, auf Küchenkrepp abtropfen lassen. Danach auf einem Teller abkühlen lassen.

Die Cantaloupe-Melone entkernen und mit dem Kugelausstecher das Fruchtfleisch herauslösen. Den Melonensaft dabei auffangen.

Die Honigmelone halbieren, entkernen und das Fruchtfleisch ebenfalls mit dem Kugelausstecher herauslösen.

Die Frühlingszwiebeln putzen, waschen, trocknen und in Ringe schneiden. Die Tomaten waschen, trocknen, den Stielansatz entfernen und achteln. Den Feldsalat gründlich putzen, waschen und trockenschleudern.

Die Hähnchenfilets schräg in dünne Scheiben schneiden.

Aus Melonensaft (nach Geschmack), Honig, Öl und Essig ein Dressing bereiten und mit Salz und Pfeffer abschmecken.

Alles auf Teller anrichten und servieren. Zuletzt das Dressing über den Salat geben.

Für 4 Portionen:

Für den Salat:
200 g Glasnudeln
Salz
400 g Thunfisch aus der
Dose (natur)
5 El Sojasauce
einige Kopfsalatblätter
60 g Pinienkerne
2 Schalotten
1 rote Chilischote
1 Bund Frühlingszwiebeln
2 El Olivenöl
Pfeffer
1/2 Bund Koriander

Zubereitungszeit: ca. 35 Min.
Pro Portion: ca. 736 kcal/3091 kJ

Thunfisch-Salat

Die Glasnudeln mit kochendem Salzwasser übergießen und ca. 10 Minuten quellen lassen. Den Thunfisch in einem Sieb abtropfen lassen und anschließend in mundgerechte Stücke schneiden.

Die Sojasauce über den Thunfisch geben und alles etwas ziehen lassen. Die Salatblätter waschen und trocknen. Anschließend auf Teller verteilen. Die Pinienkerne in einer Pfanne ohne Fett rösten.

Die Schalotten schälen und in Würfel schneiden. Die Chilischote waschen, halbieren, entkernen und fein hacken. Die Frühlingszwiebeln putzen, waschen und in Ringe schneiden.

Das Öl in einer Pfanne erhitzen und das Gemüse darin anbraten. Mit Salz und Pfeffer würzen. Den Koriander waschen, trocknen und die einzelnen Blättchen abzupfen.

Die Glasnudeln abtropfen lassen und mit dem Gemüse und dem Thunfisch auf den Salatblättern anrichten. Alles mit dem Koriander und den Pinienkernen garniert servieren.

Für 4 Portionen:

250 g Mayonnaise (Light)

2–3 El Milch

1 El Zitronensaft

1 El Zitronenzesten
(Streifen von der Schale)

2 Knoblauchzehen

Salz

16 Wachteleier

400 g Radicchio

200 g Staudensellerie

150 g Cashewkerne

Zubereitungszeit:
ca. 30 Minuten
Pro Portion: ca. 447 kcal/1873 kJ

Wachteleier-Salat mit Aioli

Für die Aioli die Mayonnaise mit Milch und Zitronensaft glatt rühren. Die Zitronenzesten unterheben.

Die Knoblauchzehen schälen und mit etwas Salz mit dem Messerrücken zerdrücken. Anschließend unter die Sauce rühren und alles kühl stellen.

Die Wachteleier hart kochen (8–9 Minuten), mit kaltem Wasser abschrecken, pellen und halbieren.

Den Radicchio putzen, waschen, trocknen und in mundgerechte Stücke zupfen. Den Staudensellerie putzen, waschen, trocknen und in Scheiben schneiden.

Das Ganze vorsichtig miteinander vermischen und mit Cashewkernen bestreuen. Mit der Aioli beträufelt anrichten und servieren. Dazu passt Ciabatta.

Für 4 Portionen:

16 Mini-Artischocken

4 El Olivenöl

250 ml Gemüse-Hefebrühe

3 Chicoréestauden

200 g Salami

1 gelbe Paprikaschote

50 g Rucola

50 g Feldsalat

100 ml Sahne

100 ml saure Sahne

4 El Kefir

4 El Gemüsebrühe

1 El Walnussöl

Salz

Pfeffer

1/2 Bund Kerbel

1/2 Bund Petersilie

Zubereitungszeit:
ca. 25 Minuten
Pro Portion: ca. 443 kcal/1861 kJ

Artischockensalat

Die Artischocken putzen, waschen und trocknen. Das Olivenöl erhitzen und die Artischocken darin andünsten. Alles mit der Brühe angießen und ca. 20 Minuten bei milder Hitze köcheln lassen. Die Artischocken abtropfen und abkühlen lassen. Die Stiele abschneiden, die Böden herausschneiden und in Stücke schneiden.

Den Chicorée putzen, waschen und in Stücke schneiden. Die Salami in Scheiben schneiden. Die Paprika putzen, waschen, halbieren, entkernen und in Streifen schneiden. Den Rucola und den Feldsalat putzen, waschen und trocknen.

Die Artischockenböden mit Chicoreé, Salami, Rucola und Feldsalat in eine Schüssel geben und mischen.

Die Sahne mit der sauren Sahne, dem Kefir, der Gemüsebrühe und dem Walnussöl verrühren und mit Salz und Pfeffer abschmecken.

Die Kräuter waschen, trocknen, fein hacken und ebenfalls unterrühren. Das Gemüse mit der Sauce vermengen, auf Tellern anrichten und servieren.

Pikanter Lebersalat mit Trauben

Die Leber waschen, trocknen und mit dem Mehl bestäuben. Das Öl in einer Pfanne erhitzen und das Fleisch darin andünsten. Mit Salz und Pfeffer würzen.

Inzwischen die Radieschen waschen und in Scheiben schneiden. Die Orangen bis auf die weiße Haut schälen und die einzelnen Filets heraustrennen.

Die Birne waschen, schälen und halbieren, das Kerngehäuse entfernen und die Frucht in Spalten schneiden. Die Trauben waschen und halbieren.

Den Rotwein mit Zitronensaft und Traubenkernöl verrühren und mit Salz und Pfeffer abschmecken.

Das Fleisch mit den Früchten und dem Feldsalat auf Tellern anrichten und mit der Sauce beträufelt servieren.

Für 4 Portionen:

450 g Geflügelleber
4 El Mehl
4 El Olivenöl
Salz
Pfeffer
1 Bund Radieschen
2 Orangen
1 Birne
100 g kernlose blaue Trauben
3 El Rotwein
Saft von 1 Zitrone
5 El Traubenkernöl
100 g Feldsalat

Zubereitungszeit:
ca. 25 Minuten
Pro Portion: ca. 503 kcal/2112 kJ

Anatolischer Bauernsalat

Für 4 Portionen

400 g Tomaten

1 Salatgurke

250 g rote Zwiebeln

300 g grüne Paprikaschoten

100 g schwarze Oliven

4 El Olivenöl

3 El Weinessig

Salz

Pfeffer

200 g Schafskäse

1/2 Tl getrockneter Oregano

1 Bund Petersilie

1 El getrocknete rote Paprikaflocken

Zubereitungszeit: ca. 20 Minuten
Pro Portion: ca. 370 kcal/1554 kJ

TIPP

Ergänzen Sie den Salat durch Zugabe von gekochten Eiern oder Kapern.

Tomaten waschen, von den Stielansätzen befreien und in Achtel schneiden. Die Gurke waschen, schälen und in Scheiben schneiden.

Die Zwiebeln schälen und in Ringe schneiden. Die Paprikaschoten putzen, waschen, entkernen und in Streifen schneiden.

Tomaten, Gurke, Zwiebeln, Paprika und Oliven in eine Schüssel geben.

Aus Olivenöl, Essig, Salz und Pfeffer ein Dressing bereiten und über den Salat geben. Alles gut mischen.

Den Schafskäse in Würfel schneiden. Über den Salat geben und mit Oregano würzen. Petersilie waschen, trockenschütteln und hacken. Den Salat mit Petersilie und Paprikaflocken bestreut servieren.

Für 4 Portionen:

3–4 gelbe Zucchini
(ca. 750 g)

125 ml trockener Weißwein

125 ml milder Essig

1 El Meersalz

2 Knoblauchzehen

2 El Rotweinessig

4 El Olivenöl

Geriebene Schale von
1 Limette

24 Blättchen Minze

1/2 Tl Oregano

Salz

Frisch gemahlener Pfeffer

Zubereitungszeit:
ca. 15 Minuten
(plus Koch- und Marinierzeit)
Pro Portion: ca. 69 kcal/290 kJ

Gelber Zucchinisalat

Die Zucchini putzen, waschen und in ca. 1,5 cm dicke Scheiben schneiden. Weißwein, Essig und ca. 500 ml Wasser in einem Topf zum Kochen bringen. Das Meersalz zufügen und die Zucchinischeiben darin ca. 3 Minuten unter Rühren garen. Aus dem Topf nehmen und abtropfen lassen.

Die Knoblauchzehen schälen und zerdrücken. Aus Knoblauch, Rotweinessig, Öl, Limettenschale, Minze, Oregano und den Gewürzen eine Salatsauce zubereiten. Kräftig abschmecken mit Salz und Pfeffer.

Die Zucchinischeiben mit der Salatsauce gut verrühren. Den Salat 30 Minuten ziehen lassen. Dann anrichten und servieren.

Für 4 Portionen:

3 El gehackte Kürbiskerne

200 g Kürbisfleisch

175 g frische Spinatblätter

24 Kirschtomaten

175 g Schafskäse

2 El Weißweinessig

1–2 El Olivenöl

Salz

Frisch gemahlener Pfeffer

Zubereitungszeit:
ca. 10 Minuten
Pro Portion: ca. 225 kcal/944 kJ

Kürbissalat mit Spinat

Die gehackten Kürbiskerne in einer beschichteten Pfanne ohne Fett ca. 1–2 Minuten rösten, bis sie duften und leicht braun sind. Auf Küchenpapier abkühlen lassen.

Das Kürbisfleisch würfeln und in einem Dampfkochtopf garen, so dass es noch Biss hat. Anschließend abkühlen lassen. Die Spinatblätter verlesen, putzen, gründlich waschen und trockenschleudern. Die Tomaten waschen, halbieren und den Stielansatz entfernen. Den Schafskäse in Würfel schneiden.

Die Spinatblätter auf Teller verteilen. Darauf Kürbis, Tomaten und Schafskäse arrangieren. Aus Essig, Öl, Salz und Pfeffer ein Dressing bereiten und über den Salat geben. Mit gerösteten Kürbiskernen bestreut servieren.

Für 4 Portionen:

Für die Granatäpfel:

3 Granatäpfel

400 g helle Weintrauben

4 El Minzeblättchen

3 El Himbeeressig

2 El Olivenöl

3 El Grenadine

1 Tl Honig

Salz

Pfeffer

2 Avocados

2 El Zitronensaft

Zubereitungszeit:
ca. 35 Minuten
Pro Portion: ca. 490 kcal/2060 kJ

Der Granatapfel-Avocado-Teller fasziniert nicht nur die Augen, auch der Gaumen wird seine Freude daran haben. Als erfrischende Vorspeise wird er jedenfalls niemals seine Wirkung verfehlen.

Granatapfel-Avocado-Teller

Die Granatäpfel quer halbieren und die Kerne herauslösen. Die Trauben waschen, trocknen, halbieren und entkernen.

2 El Minzeblättchen fein hacken. Essig, Öl, Grenadine, Honig und die Minze verrühren und mit Salz und Pfeffer würzen.

Die Avocados schälen, halbieren, die Kerne entfernen und in Spalten schneiden. Mit dem Zitronensaft beträufeln.

Die Granatapfelkerne und die Trauben mit etwas Marinade vermischen.

Zusammen mit den Avocadospalten auf Tellern anrichten, die restliche Marinade darüber verteilen und alles mit etwas Minze garniert servieren.

Bohnensalat mit Romana

Die Bohnen über Nacht in Wasser einweichen. Am nächsten Tag im Einweichwasser mit etwas Salz etwa 40 Minuten bei mittlerer Temperatur garen. Die Bohnen sollen nicht zerfallen.

Die Bohnen abgießen und den Kochsaft auffangen. Die Frühlingszwiebeln putzen, waschen und abtropfen lassen. Dann in Ringe schneiden. Den Romanasalat waschen, trockenschleudern und größere Blätter grob zerteilen.

Bohnen, Frühlingszwiebeln, Romana und Oliven in eine Schüssel geben.

Aus Zitronensaft, Öl, 5–6 Esslöffeln Kochflüssigkeit, Salz, Pfeffer und Petersilie ein Dressing bereiten und darüber gießen. Alles gründlich vermischen. Lauwarm mit frischem Brot servieren.

Für 4 Portionen

250 g weiße Bohnen
Salz
Schwarzer Pfeffer
1 Bund Frühlingszwiebeln
50 g Romanasalat
3 El gehackte frische glatte Petersilie
Saft von 1 Zitrone
150 ml Olivenöl
12 schwarze Oliven

Zubereitungszeit: ca. 1 Stunde (plus Einweichzeit)
Pro Portion: ca. 428 kcal/1800 kJ

Variation
Fenchelsalat

Toscana

Fenchelknollen waschen, putzen und in Geflügelfond blanchieren. In Streifen schneiden und mit Anisschnaps beträufeln. Saure Sahne mit etwas Geflügelfond und gehacktem Estragon verrühren. Mit Salz, Pfeffer und Anispulver abschmecken. Alles mischen und gut ziehen lassen.

Kürbissalat mit Äpfeln

Für 4 Portionen

1 Kürbis (ca. 700 g)

2 Äpfel

50 g gehackte Mandeln

2 El Apfelessig

1 El Zitronensaft

3 El Apfelsaft

3 El Pflanzenöl

1 Prise Salz

1/2 Tl Zucker

Pfeffer

Currypulver

Zubereitungszeit:
ca. 20 Minuten
(plus Kochzeit)
Pro Portion: ca. 155 kcal/650 kJ

Den Kürbis schälen, Kerne und Innenfasern entfernen und das Kürbisfleisch auf einem Hobel grob raspeln.

Die Äpfel waschen, schälen, die Kerngehäuse entfernen und das Fruchtfleisch ebenfalls reiben.

Kürbis- und Apfelraspel mit den gehackten Mandeln vermischen und in eine Schüssel füllen.

Aus den restlichen Zutaten eine Salatsauce herstellen und über die Kürbismischung geben. Alles ca. 20 Minuten durchziehen lassen.

Kürbissalat auf Teller anrichten und servieren.

Kürbis-Zucchini-Salat

Den Kürbis waschen, halbieren, entkernen und die Innenfasern entfernen. Nicht schälen. Das Kürbisfleisch in kleine Scheiben schneiden. Die Zucchini putzen, waschen und in ca. 0,5 cm dicke Scheiben schneiden. Die Zwiebel schälen und in feine Ringe schneiden.

2 El Öl in einer Pfanne erhitzen. Kürbis- und Zucchinischeiben darin goldbraun braten. Das restliche Olivenöl während des Bratens nach und nach dazugießen. Das Gemüse nach dem Braten auf einer Platte abkühlen lassen. Die Zwiebelringe mit auf der Platte anrichten.

Den Knoblauch schälen und fein hacken. Aus Knoblauch, Salz, Pfeffer und Essig ein Dressing herstellen und die Kräuter unterrühren. Alles über die Gemüsescheiben geben. Die Platte mit Folie abdecken und den Salat ca. 60 Minuten durchziehen lassen.

Für 4 Portionen

2–3 Gemüsekürbisse
(ca. 800 g)

4 Zucchini (ca. 600 g)

1 große Zwiebel

100 ml Olivenöl

6 El frisch gehackte
Basilikumblätter

3 El frisch gehackte
Minzeblätter

2 Knoblauchzehen

Salz

Frisch gemahlener Pfeffer

3 Tl Aceto Balsamico

Zubereitungszeit:
ca. 25 Minuten
(plus Ruhe- und Bratzeit)
Pro Portion: ca. 310 kcal/1302 kJ

Marinierte Köstlichkeiten

Eingelegte Mozzarellakugeln

Für 4 Portionen:

1 Zweig Rosmarin

1 Zweig Thymian

3 Knoblauchzehen

150 g Kirschtomaten

50 g gefüllte Oliven

150 g Mozzarellakugeln

Salz

einige weiße Pfefferkörner

2 Lorbeerblätter

1/4 l Olivenöl

Zubereitungszeit:
ca. 20 Minuten (plus Zeit
zum Ziehen)
Pro Portion: ca. 370 kcal/1554 kJ

TIPP:

Im Handel werden auch Mozzarellakugeln in Wachteleigröße angeboten. Die eignen sich besonders gut zum Einlegen und sehen hübsch aus.

Die Kräuter waschen und trockenschütteln. Die Knoblauchzehen schälen. Die Tomaten putzen, waschen und anschließend trocken reiben.

Die Oliven in Scheiben schneiden. Die Mozzarellakugeln abtropfen lassen. Alles zusammen mit Salz, Pfefferkörnern und den Lorbeerblättern in ein Einmachglas geben.

Mit dem Öl begießen, das Glas verschließen und alles ca. 12 Stunden ziehen lassen. Die Mozzarellakugeln zu frischem Weißbrot servieren.

Eingelegter Pfefferkäse

Die Kirschtomaten waschen und mit einem Holzspieß mehrmals einstechen. Die Chilischote waschen, putzen, halbieren, entkernen und in Stücke schneiden. Die Knoblauchzehen schälen.

1/4 l Wasser mit Essig, Knoblauchzehen, Zucker und Salz aufkochen lassen. Die Kräuter waschen, trockenschütteln und einzelne Zweige abzupfen. Den Mozzarella abtropfen lassen und vierteln.

Tomaten, Chilistücke, Mozzarella und die Kräuter in ein verschließbares Glas geben und mit dem Würzsud übergießen. Die Pfefferkörner in den Würzsud geben. Abkühlen lassen.

Das Glas verschließen und an einem kühlen Ort ca. 12 Stunden ziehen lassen.

Für 1 Glas à 2 l

600 g Kirschtomaten
1 rote Chilischote
6 Knoblauchzehen
1 El Essig
2 El Zucker
2 Tl Salz
1 Bund Basilikum
1 Bund Oregano
1 Bund Thymian
300 g Mozzarella
1 El bunte Pfefferkörner

Zubereitungszeit:
ca. 15 Minuten (plus Zeit
zum Ziehen)
Pro Portion: ca. 287 kcal/1207 kJ

Für jeweils 2 Gläser à 500 g

Marinade I
2 Knoblauchzehen
1 El gehackter Oregano
Abgeriebene Schale von
1/2 unbehandelten Orange
1 l Olivenöl
1 Tl getrocknete Chiliflocken
500 g grüne Oliven

Marinade II
2 Knoblauchzehen
1 El gehackter Oregano
1 Tl gemahlener Kreuz-
kümmel
1 l Olivenöl
1 Tl getrocknete Chiliflocken
500 g schwarze Oliven

Zubereitungszeit:
ca. 20 Minuten
(plus Marinierzeit)
Pro Portion: ca. 2370 kcal/9954 kJ

TIPP

Achten Sie darauf, hoch-
wertiges Olivenöl zu ver-
wenden. Es sollte kalt ge-
presst sein und „virgine",
also aus der ersten Pressung
stammen.

Marinierte Oliven

Die Knoblauchzehen schälen und ganz fein hacken.

Alle Zutaten von Marinade I miteinander vermischen und die grünen Oliven darin einlegen.

Alle Zutaten von Marinade II miteinander vermischen und die schwarzen
Oliven darin einlegen.

Die eingelegten Oliven in verschließbare Gefäße geben und die Deckel
fest zuschrauben.

Marinierte Paprikaschoten

Für 4 Portionen

2 gelbe Paprikaschoten
2 rote Paprikaschoten
1/4 Bund Basilikum
1/4 Bund Petersilie
1 Zwiebel
2 Knoblauchzehen
50 g in Öl eingelegte getrocknete Tomaten (FP)
1 rote Chilischote
150 ml Olivenöl
Salz
Pfeffer aus der Mühle
Ciabatta als Beilage

Zubereitungszeit:
ca. 45 Minuten
(plus Zeit zum Ziehen)
Pro Portion: ca: 385 kcal/1681 kJ

Die Paprikaschoten putzen, waschen, halbieren, die Kerne entfernen und die Paprika der Länge nach in ca. 3 cm breite Streifen schneiden.

Die Paprikastreifen unter dem Grill ca. 10 Minuten rösten, bis die Haut sich dunkel färbt und Blasen wirft.

Die Paprikastreifen herausnehmen und häuten. Das Basilikum waschen, trocken tupfen und in Streifen schneiden. Die Petersilie waschen, trocken schütteln und fein hacken.

Die Zwiebeln schälen und in Würfel schneiden. Die Knoblauchzehen ebenfalls schälen und pressen.

Die Tomaten abtropfen lassen und fein hacken. Die Chilischoten putzen, waschen und fein hacken. Zwiebeln, Knoblauch, Tomaten und Chilischote mit dem Öl vermengen. Die Paprikastreifen aufrollen und auf Holzspieße stecken.

Alle Zutaten in eine flache Form geben. Die Marinade mit Salz und Pfeffer würzen und das Ganze ca. 6 Stunden ziehen lassen. Mit Brot servieren.

Für 4 Portionen:

4 Zucchini

Saft von 2 Zitronen

Salz

Schwarzer Pfeffer

100 g Mehl

Olivenöl

1 Zwiebel

2 Knoblauchzehen

150 ml Gemüsebrühe

150 ml Aceto balsamico

150 ml trockener Weißwein

1 Tl grüne Pfefferkörner

1/2 Tl frisch gehacktes Basilikum

1/2 Tl frisch gehackter Oregano

1/2 Bund gehackte Zitronenmelisse

1/2 Bund gehackte Petersilie

Zubereitungszeit:
ca. 45 Minuten
Pro Portion: ca. 192 kcal/806 kJ

Marinierte Zucchinischeiben

Die Zucchini putzen, waschen und längs in Scheiben schneiden. Die Scheiben sofort mit Zitronensaft, Salz und Pfeffer würzen.

Das Mehl auf einen Teller geben und die Zucchinischeiben darin wenden. Anschließend im heißen Olivenöl goldbraun braten. Herausnehmen und auf Küchenpapier abtropfen lassen. Danach die Zucchinischeiben in eine große Auflaufform legen.

Zwiebel und Knoblauchzehen schälen und fein hacken. Im verbliebenen Öl kurz andünsten. Gemüsebrühe, Aceto sowie Weißwein hinzufügen und alles aufkochen lassen. Die Pfefferkörner sowie die Kräuter einrühren und die heiße Marinade über die Zucchinischeiben gießen.

Die Auflaufform abdecken und die Zucchinischeiben ca. 20 Minuten an einem kühlen Ort ziehen lassen.

Für 4 Portionen:

20 Riesengarnelen mit Kopf und Schwanz

3 Knoblauchzehen

1/4 Bund Oregano

1/4 Bund Basilikum

5 El Olivenöl

3 Tl Rotweinessig

Salz

Pfeffer aus der Mühle

Cayennepfeffer

Zubereitungszeit:
ca. 1 1/2 Stunden
Pro Portion: ca. 238 kcal/1000 kJ

TIPP:

Die marinierten Riesengarnelen sind eine delikate Vorspeise. Um sie abzurunden, empfehlen wir dazu das typisch französische Baguettebrot.

Marinierte Riesengarnelen

Die Riesengarnelen waschen und trockentupfen. Die Knoblauchzehen schälen und durchpressen. Die Kräuter waschen, trocknen und fein hacken.

Das Öl mit dem Rotweinessig verrühren. Die Kräuter unterrühren. Mit Salz, Pfeffer und Cayennepfeffer kräftig abschmecken.

Die Garnelen in die Marinade geben und ca. 1 Stunde ziehen lassen.

Die Garnelen abtropfen lassen und unter dem Grill ca. 8 Minuten grillen. Während des Grillens die Garnelen mehrmals wenden und mit der Marinade bestreichen.

Für 4 Portionen

2 Kugeln Mozzarella
z. B. Galbani

(à 125 g)

100 g pikante Peperoni
(Glas)

1 rote Zwiebel

100 g schwarze Oliven
ohne Stein

1 Bund Basilikum

1 Bund Rucola

1 Knoblauchzehe

100 ml Olivenöl

6 El heller Balsamico-Essig

Salz

bunter Pfeffer

Zubereitungszeit:
ca. 15 Minuten (plus Kühlzeit)
Pro Portion: ca. 462 kcal/1936 kJ

Antipasti Santa Lucia

Mozzarella abtropfen lassen und in grobe Würfel schneiden. Stiele der Peperoni nach Wunsch entfernen und Peperoni je nach Größe evtl. halbieren.

Zwiebel schälen, grob würfeln und mit Mozzarella, Peperoni und Oliven mischen. Basilikumblättchen abzupfen und zusammen mit dem Rucola waschen, trockentupfen und beides hacken.

Knoblauch schälen, zerdrücken, mit Olivenöl und Balsamicoessig verrühren, mit Salz und Pfeffer abschmecken, Kräuter unterrühren, mit den Antipasti-Zutaten mischen und ca. 30 Minuten kalt stellen. Dazu schmeckt knuspriges Ciabattabrot.

Honigzwiebeln in Rapsöl

Für 2 Gläser

1 kg Schalotten
3/4 l Rapsöl
3 El Rapshonig
1 Glas Weißwein (150 ml)
1 Töpfchen frischer Oregano
1 Töpfchen frischer Majoran
frisch gemahlener weißer
oder schwarzer Pfeffer

Zubereitungszeit: ca.15 Minuten
Pro Portion: ca. 430 kcal/1806 kJ

Die Schalotten schälen und in 2 El von dem Rapsöl goldgelb braten. Den Honig zufügen und 2 Minuten schmoren lassen. Den Weißwein unter Rühren zufügen und 5 Minuten zugedeckt dünsten.

Inzwischen die Kräuterblättchen von den Stielen zupfen, vorsichtig abbrausen, sehr gut trockenschleudern und zu den Schalotten geben. Mit Pfeffer würzen.

Die Schalotten erkalten lassen, in ein Glas füllen, mit restlichem Rapsöl auffüllen und mit einem Deckel verschließen. Kühl und dunkel aufbewahrt, halten sich die Schalotten etwa 3 Wochen.

Die Honigzwiebeln schmecken köstlich zu Chorizo und luftgetrocknetem spanischen Serrano-Schinken, aber auch zu Scampi werden sie gereicht.

Eingelegte Meeresfrüchte

Für 4 Portionen:

500 g Miesmuscheln

500 g Venus- oder
Kammmuscheln

250 g Tintenfische

200 g kleine Kalmare

300 g Garnelen

Meersalz

frisch gemahlener Pfeffer

150 ml Olivenöl

Saft von 3 Zitronen

Zubereitungszeit:
ca. 30 Minuten (plus Garzeit
und Zeit zum Ziehen)
Pro Portion: ca. 676 kcal/2832 kJ

Die Mies- und Venusmuscheln kräftig abschrubben, eventuelle See-pocken abkratzen. Die Bärte abziehen und Muscheln gründlich unter fließen-dem Wasser abspülen. Beschädigte oder offene Muscheln, die sich beim Klop-fen nicht schließen, entfernen.

Die Tintenfische säubern. Den Kopf aufschneiden und die Innereien ent-fernen. Die Augen und den harten Kiefer ebenfalls entfernen, anschließend wa-schen und abtropfen lassen. Das Fleisch eventuell mit einem Fleischklopfer zart klopfen.

Die Kalmare reinigen. Den Kopf und die Tentakel mit den Innereien aus dem Körper ziehen. Die Köpfe unterhalb der Augen abschneiden und entfer-nen, die Tentakel beiseite stellen. Die Mäntel waschen, das transparente Fisch-bein herausziehen und die Mäntel in Ringe schneiden.

Die Garnelen waschen, den Darm entfernen und die Schwänze ganz las-sen.

In einem großen Topf Wasser zum Kochen bringen. Tintenfische darin etwa 20 Minuten leicht köcheln lassen. Die Kalmare und Garnelen hinzuge-ben, etwa 2 Minuten weiterkochen, bis die Garnelen rosa sind. Herausnehmen und alles gut abtropfen lassen.

Die Mies- und Venusmuscheln in einem Siebeinsatz über kochendem Wasser etwa 2 Minuten dämpfen, bis sie sich öffnen. (Muscheln, die sich nicht öffnen, wegwerfen.) Das Fleisch aus den Schalen lösen und beiseite stellen.

Tintenfische je nach Größe in Stücke schneiden und zum Muschel-fleisch geben. Kalmare und Garnelen ebenfalls hinzugeben. Alles mit Meersalz und Pfeffer bestreuen. Das Öl mit dem Zitronensaft verschlagen und damit ver-mischen, über die Meeresfrüchte geben und alles abgedeckt mindestens 12–24 Stunden im Kühlschrank ziehen lassen.

Vor dem Servieren die eingelegten Meeresfrüchte abschmecken und mit Petersilie und Zitrone anrichten.

Register

Der Verlag dankt folgenden Unternehmen und Organisationen für die freundliche Zurverfügungstellung von Fotos und Rezepten: Seiten 20/21 Leerdammer Caractère, Seite 28 Langguth, Seiten 22, 23, 29, 250 Galbani, Seite 31 supress (Nirosta). Alle übrigen Fotos Naumann & Göbel Verlagsgesellschaft in der VEMAG Verlags- und Medien AG, Köln